ARTHUR CONAN DOYLE

O SIGNO DOS QUATRO

1ª EDIÇÃO

PANDORGA EDITORA E PRODUTORA

Todos os direitos reservados.
Copyright © 2019 by Editora Pandorga

Direção editorial
Silvia Vasconcelos
Produção editorial
Equipe Editora Pandorga
Preparação
Gabriela Peres Gomes
Revisão
Gabriela Peres Gomes
Tradução
Alice da Silva Kleisck
Diagramação
Danielle Fróes
Capa
Lumiar Design

Texto de acordo com as normas do Novo Acordo Ortográfico da Língua Portuguesa
(Decreto Legislativo nº 54, de 1995)

Dados Internacionais de Catalogação na Publicação (CIP)

D784s Doyle, Arthur Conan
1.ed.   O signo dos quatro / Arthur Conan Doyle; tradução de Alice da Silva Klesck. – 1.ed. – São Paulo: Pandorga, 2019.

136 p.; 14 x 21 cm.

ISBN: 978-85-8442-427-6

1. Literatura inglesa. 2. Ficção. 3. Aventura. 4. Sherlock Holmes. I. Klesck, Alice da Silva. II. Título.

CDD 820

Índice para catálogo sistemático:
1. Literatura inglesa: ficção
2. Aventura: Sherlock Holmes

Bibliotecária responsável: Aline Graziele Benitez CRB-1/3129

2019
IMPRESSO NO BRASIL
PRINTED IN BRAZIL
DIREITOS CEDIDOS PARA ESTA EDIÇÃO À
EDITORA PANDORGA
Rodovia Raposo Tavares, km 22
CEP: 06709015 – Lageadinho – Cotia – SP
Tel. (11) 4612-6404

SUMÁRIO

Apresentação	....	7
Capítulo I	A ciência da dedução	9
Capítulo II	A exposição do caso	18
Capítulo III	Em busca de uma solução	24
Capítulo IV	A história do calvo	30
Capítulo V	A tragédia de Pondicherry Lodge	41
Capítulo VI	Sherlock Holmes faz uma demonstração	49
Capítulo VII	O episódio do barril	59
Capítulo VIII	Os frequentadores não habituais de Baker Street	72
Capítulo IX	O rompimento da corrente	82
Capítulo X	O fim do ilhéu	93
Capítulo XI	O magnífico tesouro de Agra	103
Capítulo XII	A estranha história de Jonathan Small	109

APRESENTAÇÃO

A obra de Sir Arthur Conan Doyle (1859-1930) contempla gêneros tão variados quanto a ficção científica, as novelas históricas, a poesia e a não ficção. Porém, sem dúvida, seu maior reconhecimento vem dos contos e romances do detetive Sherlock Holmes e seu fiel parceiro e amigo, o Dr. Watson. Mais de 130 anos após sua criação, continua sendo o detetive ficcional mais popular da história.

A primeira aparição dos personagens se dá em *Um Estudo em Vermelho*, publicado em 1887 pela revista *Beeton's Christmas Annual*, que introduziu ao público aqueles que se tornariam os mais conhecidos personagens de histórias de detetive da literatura universal. Doyle não esconde que a obra de Edgar Allan Poe teve grande influência em sua escrita. O personagem de Monsieur C. Auguste Dupin, de *Os assassinatos na Rua Morgue*, em muito ajudou a compor Holmes, principalmente no que diz respeito à técnica do "princípio da dedução", utilizada para resolver os casos. Mas é com Holmes e Watson que o método é imortalizado.

Os contos nunca deixaram de ser reimpressos desde que o primeiro deles foi publicado, e são traduzidos até hoje em diversas línguas pelo mundo. Centenas de encenações encarnaram a dupla nos palcos, no rádio e nas telas; revistas e livros sobre o detetive são lançados todo ano. Infinitamente imitado, parodiado e citado, Holmes já foi identificado como uma das três personalidades mais conhecidas do mundo ocidental, ao lado de Mickey Mouse e do Papai Noel.

Outros trabalhos de Conan Doyle foram obscurecidos pelo personagem, e, em dezembro de 1893, ele mata Holmes no conto *O problema final* (*Memórias de Sherlock Holmes*), mas o ressuscita no romance *O Cão dos Baskerville*, publicado entre 1902 e 1903, e no conto *A Casa Vazia* (*A ciclista solitária*), de 1903, quando Conan Doyle sucumbe à pressão do público e revela que o detetive conseguiu burlar a morte.

CAPÍTULO I
A ciência da dedução

Sherlock Holmes pegou o frasco na cornija da lareira e tirou a seringa hipodérmica do elegante estojo marroquino. Com seus dedos longos, brancos e nervosos, ajustou a agulha delicada e arregaçou o punho esquerdo da camisa. Seus olhos pensativos pousaram brevemente sobre o antebraço e o punho musculosos, pontilhados por inúmeras picadas. Por fim, inseriu a ponta da agulha, apertou o pequeno êmbolo, e recostou-se na poltrona forrada de veludo, dando um longo suspiro de satisfação.

Durante muitos meses, por três vezes ao dia, eu havia presenciado essa cena, mas o hábito não me permitia aceitá-la. Ao contrário, a cada dia eu me irritava mais com aquela visão, e, toda noite, minha consciência pesava pela minha falta de coragem para contestar. Muitas e muitas vezes eu prometera expor meus sentimentos sobre a questão, porém, algo no ar sereno e indiferente do meu companheiro o fazia parecer o último homem com quem uma pessoa se atreveria a ter liberdade. Seus talentos grandiosos, seus modos esmerados e minha experiência com suas qualidades extraordinárias me deixavam acanhado e reticente em contrariá-lo.

Naquela tarde, contudo, talvez por conta do Beaune que eu havia bebido no almoço, ou da exasperação adicional decorrente de seus modos deliberados, subitamente senti que já não podia mais me conter.

— O que será o de hoje? — perguntei. — Morfina ou cocaína?

Ele ergueu preguiçosamente os olhos do velho livro com caracteres góticos que abrira.

— Cocaína — disse ele —, uma solução a sete por cento. Gostaria de experimentar?
— Absolutamente não — respondi, bruscamente. — Meu corpo ainda não se recuperou da campanha afegã. Não posso impor-lhe qualquer extenuação adicional.

Ele sorriu de minha veemência.

— Talvez você tenha razão, Watson — disse. — Suponho que os efeitos físicos por ela causados sejam ruins. Ainda assim, considero-a tão transcendentalmente estimulante e aclaradora da mente que não ligo muito para seus efeitos colaterais.

— Mas reflita! — disse eu, com seriedade. — Pese o custo! Seu cérebro pode, como está dizendo, ser estimulado e incitado, mas esse é um processo patológico e mórbido, que abrange maior mutação dos tecidos e pode acabar levando a uma debilidade permanente. Você também conhece bem a reação de melancolia que o acomete. Certamente não vale a pena. Por que deveria você, por um simples prazer passageiro, arriscar a perda dos talentos desmedidos de que é dotado? Lembre-se de que falo não somente como um companheiro, mas como um médico que, até certo ponto, é responsável pelo seu bem-estar físico.

Ele não pareceu se ofender. Ao contrário, uniu as pontas dos dedos e apoiou os cotovelos nos braços da poltrona, como se desejasse conversar.

— Minha mente — disse ele — se rebela contra a estagnação. Dê-me problemas, dê-me trabalho, dê-me o criptograma mais dificultoso, ou a mais complexa análise, e eu fico à vontade. Posso então dispensar os estimulantes artificiais. Mas abomino a rotina da existência tediosa. Anseio pela exaltação mental. Por isso que escolhi minha própria profissão. Ou melhor, eu a inventei, pois sou o único no mundo a exercê-la.

— O único detetive não oficial? — perguntei, arqueando as sobrancelhas.

— O único detetive consultor não oficial — respondeu ele. — Sou o último e mais elevado tribunal de apelação na detecção. Quando Gregson, Lestrade ou Athelney Jones ficam desnorteados, o que, aliás, é o estado habitual deles, a questão é trazida a mim. Examino os dados, como um especialista, e expeço uma opinião de especialista. Nesses casos, abro mão de qualquer mérito. Meu nome não aparece em jornal algum. O trabalho em si, o prazer de encontrar um campo para minhas habilidades peculiares, é a minha maior recompensa. Mas você mesmo teve alguma experiência de meus métodos de trabalho no caso de Jefferson Hope.

— Sim, de fato — concordei, cordialmente. — Nada me impressionou tanto na vida. Cheguei até a fazer uma compilação, em uma brochura, com o título um tanto extravagante de *Um estudo em vermelho*.

Ele sacudiu a cabeça tristemente.

— Dei uma olhada — disse. — Francamente, não posso parabenizá-lo. A detecção é uma ciência exata, ou deveria ser, e tinha de ser tratada da mesma maneira fria e isenta de emoção. Você tentou pontuá-la de romantismo, o que resulta em um efeito parecido com uma história de amor, ou a fuga de um casal de amantes, na quinta proposição de Euclides.

— Mas ali havia romance — contestei. — Eu não podia adulterar os fatos.

— Alguns fatos devem ser omitidos ou, pelo menos, observados com um senso justo e proporcional em seu tratamento. O único ponto digno de nota no caso foi o curioso raciocínio analítico dos efeitos para as causas, por meio do qual consegui destrinchá-lo.

Irritei-me com a crítica a um trabalho que havia sido elaborado especialmente para agradá-lo. Também confesso que me aborreci com a egolatria que parecia exigir que cada frase de meu texto fosse dedicada a suas façanhas especiais. Durante os anos em que eu havia morado com ele em Baker Street, mais de uma vez observara uma ponta de vaidade por trás do modo sereno e didático de meu amigo. Ainda assim, não teci nenhum comentário, e limitei-me a afagar minha perna contundida. Ela fora transpassada por uma bala de jezail tempos atrás e, apesar de não me impedir de caminhar, doía muito a cada mudança de tempo.

— Recentemente, a minha clientela estendeu-se ao Continente — disse Holmes depois de algum tempo, abastecendo seu antigo cachimbo com raiz de urze-branca. — Semana passada, fui consultado por François Le Villard que, como você provavelmente sabe, recentemente assumiu uma posição bem elevada no serviço de detecção francês. Ele tem todo o talento celta da intuição veloz, mas carece de um escopo abrangente nos conhecimentos exatos, algo essencial para maior desenvolvimento de sua arte. O caso referia-se a um testamento e apresentava algumas características interessantes. Pude referenciá-lo a dois casos paralelos, um ocorrido em Riga, em 1857, o outro em St. Louis, em 1871, que lhe sugeriram a verdadeira solução. Esta é a carta que recebi esta manhã em agradecimento por meu auxílio.

Enquanto falava, arremessou-me uma folha amassada de papel de carta estrangeiro. Corri os olhos no papel, notando a profusão de observações admiráveis, percebendo os *magnifiques, coups de maître* e *tours de force*,[1] por todo lado, atestando a fervorosa admiração do francês.

— Ele fala como um pupilo dirigindo-se a seu mestre — comentei.

— Ah, ele valoriza excessivamente a minha ajuda — disse Sherlock Holmes, indiferente. — Ele próprio possui dons consideráveis. Tem duas das três qualidades necessárias ao detetive ideal: tem capacidade de observação e dedução. Só carece de conhecimento, e isso pode vir com o tempo. Agora está traduzindo todos os meus pequenos trabalhos para o francês.

— Seus trabalhos?

— Ah, você não sabia? — exclamou ele, rindo. — Sim, confesso que compus várias monografias. São todas de assuntos técnicos. Aqui está uma, por exemplo, *Sobre a distinção entre as cinzas de vários tabacos*. Nela eu listo cento e quarenta formas de tabaco de charuto, cigarro e cachimbo, com paletas coloridas ilustrando a diferença na cinza. Esse é um ponto que está sempre surgindo em julgamentos criminais, e que ocasionalmente tem suprema importância como pista. Se você pode dizer com certeza, por exemplo, que um assassinato foi cometido por um homem que fumava um *lunkah* indiano, isso evidentemente estreita seu campo de busca. Para o olho treinado, há tanta diferença entre

---

1. Respectivamente, em tradução livre: "esplêndido", "que façanha!" e "golpes de mestre".

as cinzas negras de um Trichinopoly e a plumagem de um *bird's-eye*, quanto entre um repolho e uma batata.

— Você tem uma genialidade extraordinária para as minúcias — frisei.

— Aprecio a relevância delas. Aqui está minha monografia sobre o rastreamento de pegadas, com algumas observações sobre o uso de gesso de Paris para conservar as impressões. Aqui também tem um trabalhinho curioso sobre a influência de um determinado ofício na forma da mão, com linotipias das mãos de pedreiros, marinheiros, cortadores de cortiça, tipógrafos, tecelões e polidores de diamantes. É um conteúdo de grande interesse prático para o detetive científico, especialmente em casos de corpos não reclamados, ou na descoberta de antecedentes criminais. Mas eu o estou cansando com meu *hobby*.

— De modo algum — respondi, sinceramente. — Isso é do maior interesse para mim, principalmente depois que tive a oportunidade de observar sua aplicação prática. Mas há pouco falou de observação e dedução. Certamente, uma envolve a outra, até certo ponto.

— Ora, nem tanto — respondeu ele, recostando-se na poltrona de modo exuberante, dando baforadas azuladas com o cachimbo. — Por exemplo, a observação me mostra que você esteve na agência dos Correios de Wigmore Street esta manhã, mas a dedução me leva a crer que, ao estar ali, você passou um telegrama.

— Correto! — disse eu. — Correto nas duas coisas! Mas confesso que não vejo como chegou a essa conclusão. Foi um impulso repentino que tive e não o mencionei a ninguém.

— É a simplicidade em si — observou ele, achando graça de minha surpresa. — Tão absurdamente simples que torna supérflua uma explicação; no entanto, ela pode servir para definir os limites entre a observação e a dedução. A observação me diz que você tem um bocadinho de barro avermelhado grudado no pé. Diante da agência dos Correios de Wigmore Street, o pavimento foi retirado e aterrado, e há um bocado de terra no caminho, dificultando a entrada, sem que se pise nela. A terra tem esse tom avermelhado específico que, pelo que sei, não pode ser encontrado em nenhum outro lugar da vizinhança. Tudo isso é observação. O restante é dedução.

— Então, como foi que deduziu quanto ao telegrama?

— Ora, claro que eu sabia que você não havia escrito uma carta, já que passei a manhã sentado à sua frente. Também vejo ali, em sua escrivaninha, uma folha de selos e um maço de postais. Então, por que iria até o correio, senão para enviar um telegrama? Excluam-se todos os fatores e o remanescente deve ser a verdade.

— Neste caso, certamente é — confirmei, depois de refletir brevemente. — No entanto, como diz, a coisa é bem simples. Você me tomaria por impertinente se eu submetesse suas teorias a um teste mais severo?

— Pelo contrário — respondeu ele —, isso evitaria que eu tomasse uma segunda dose de cocaína. Eu ficaria encantado em examinar qualquer problema que possa me apresentar.

— Eu o ouvi dizer que é difícil para um homem ter qualquer objeto de uso diário, sem nele deixar sua marca individual, de modo que um observador treinado possa identificá-la. Ora, tenho aqui um relógio que veio parar em minhas mãos recentemente. Faria o obséquio de me prover sua opinião sobre o caráter ou os hábitos de seu antigo proprietário?

Entreguei-lhe o relógio, com um leve divertimento íntimo, pois aquele era, a meu ver, um teste impossível, e minha intenção era que isso servisse de lição contra um tom um tanto dogmático que ele ocasionalmente assumia. Holmes segurou o relógio na mão, olhou fixamente o mostrador, abriu a tampa traseira e examinou o mecanismo, primeiro a olho nu, depois com uma poderosa lupa. Eu mal conseguia conter o sorriso diante de sua fisionomia desanimada, quando ele finalmente fechou a tampa com um estalido e me devolveu o relógio.

— Não há quase nenhum dado — comentou. — O relógio foi limpo recentemente, o que me furta dos fatos mais sugestivos.

— Você está certo — respondi. — Foi limpo antes que me fosse enviado.

Em meu coração, acusei meu companheiro de dar a desculpa mais esfarrapada para encobrir seu fracasso. Que dados ele poderia esperar de um relógio que não tivesse sido limpo?

— Apesar de insatisfatória, minha investigação não foi inteiramente infrutífera — observou ele, encarando o teto com olhos sonhadores e embaçados. — Corrija-me se eu estiver errado, mas eu diria que o relógio pertenceu ao seu irmão mais velho, que o herdou de seu pai.

— Isso, sem dúvida, você deduziu das iniciais H.W. na traseira?

— Exatamente. O W. sugere seu próprio nome. O relógio data de quase meio século atrás e as iniciais são tão antigas quanto ele: portanto, ele foi feito para geração passada. Joias geralmente são deixadas para o filho mais velho, e seria bem provável que ele tivesse o mesmo nome do pai. Seu pai, se bem me lembro, faleceu há muitos anos. Ele estava, portanto, com seu irmão mais velho.

— Até agora, correto — disse eu. — Mais alguma coisa?

— Ele era um homem bem displicente... muito displicente e descuidado. Foi deixado com boas perspectivas, mas desperdiçou suas oportunidades, viveu algum tempo na pobreza com breves intervalos de prosperidade e, finalmente, passou a beber e veio a falecer. Isso é tudo que consigo deduzir.

Dei um pulo da cadeira e saí mancando pela sala, com grande amargura no coração.

— Isso é indigno de você, Holmes — disse eu. — Não posso acreditar que você desceria a um nível tão baixo. Fez indagações sobre a história de meu pobre irmão e agora finge deduzir esse conhecimento de um modo fantasioso. Não pode esperar que eu acredite que decifrou tudo isso com esse relógio velho! Isso é descortês e, para dizer a verdade, tem um tom de charlatanismo.

— Meu caro Watson — disse ele, bondosamente —, rogo que aceite minhas desculpas. Olhando a questão como um problema abstrato, eu me esqueci do quanto poderia ser pessoal e doloroso para você. Asseguro-lhe, no entanto, que jamais soube que você sequer tivesse um irmão até que me entregou o relógio.

— Então, mediante que milagre obteve todos esses fatos? Eles estão absolutamente corretos, em cada detalhe.

— Ora, foi sorte. Posso dizer que foi apenas o resultado da probabilidade. De forma alguma eu esperava ser tão preciso.

— Mas não foi somente adivinhação?

— Não, não, eu nunca adivinho. É um péssimo hábito, danoso às faculdades lógicas. O que lhe parece estranho assim é somente por você não acompanhar minha sequência de ideias, ou observar os pequenos fatos de que grandes conclusões podem depender. Por exemplo, comecei dizendo que seu irmão era displicente. Observando a parte inferior da caixa do relógio, perceba que não está apenas amassada, em dois lugares, mas toda arranhada e marcada por ter sido guardada no mesmo bolso com outros objetos rijos, como moedas ou chaves. Certamente não é uma grande façanha supor que seja displicente um homem que trata um relógio de cinquenta guinéus com tanto desdém. Tampouco é uma conclusão ousada supor que um homem herdeiro de objeto tão valoroso seja igualmente bem provido em outros aspectos.

Assenti para mostrar que acompanhava seu raciocínio.

— Quando estão de posse de um relógio, os penhoristas da Inglaterra têm o costume de riscar os números da cautela com um alfinete no interior da caixa. É mais prático que uma etiqueta, pois não há perigo de o número se perder, ou ser trocado. No interior da caixa, há nada menos que quatro desses números visíveis à minha lupa. Conclusão secundária: ele passou por fases alternadas de prosperidade, ou não teria conseguido resgatar o penhor. Por fim, peço-lhe que veja a placa interior, que contém o orifício para a chave. Veja os milhares de arranhões em volta, marcas decorrentes do atrito da chave. Como a chave de um homem sóbrio teria produzido ranhuras como essas? Mas você nunca verá o relógio de um bêbado sem elas. Ele lhe dá corda à noite, e deixa esses sinais pela mão vacilante. Onde está o mistério em tudo isso?

— É claro como o dia — respondi. — Lamento por ter sido injusto. Eu deveria ter tido mais fé em suas habilidades maravilhosas.

Posso perguntar se tem alguma investigação profissional em curso no momento?
— Nenhuma. Por isso a cocaína. Não consigo viver sem trabalho intelectual. Que outra razão há para se viver? Chegue aqui, junto à janela. Será que já existiu um mundo tão monótono, melancólico e inútil? Olhe como o nevoeiro amarelado rodopia acima da rua e paira sobre as casas cinzentas. O que poderia ser mais irremediavelmente prosaico? De que valem as habilidades, Doutor, se não temos nenhum campo no qual exercê-las? O crime é trivial, a existência é trivial, e nenhuma habilidade, exceto as que são triviais tem função alguma sobre a terra.

Cheguei a abrir a boca para replicar, quando, com uma batida forte, nossa governanta entrou, trazendo um cartão na bandeja de bronze.

— Uma moça quer vê-lo, senhor — informou ela, dirigindo-se ao meu companheiro.

— Srta. Mary Morstan — leu ele. — Hum... Não me lembro desse nome. Peça à moça que suba, Sra. Hudson. Não vá, Doutor. Prefiro que fique.

CAPÍTULO II
A exposição do caso

A Srta. Morstan adentrou a sala com um passo firme e aparentemente tranquila. Era uma jovem loura, miúda e delicada, de mãos caprichosamente enluvadas e trajada de modo impecável. Em seu traje, no entanto, havia uma simplicidade que sugeria recursos limitados. O vestido era de tom bege escuro, acinzentado, sem detalhes nem debruns, e ela usava um pequeno turbante do mesmo tom insosso, realçado apenas por uma ínfima pluma branca na lateral. Seu rosto não tinha nem traços regulares, nem uma bela pele, mas sua expressão era meiga e amistosa, seus imensos olhos azuis eram particularmente espirituais e compreensivos. Em minha vivência com mulheres, que se estende por muitas nações e três continentes, jamais vi um rosto que guardasse mais claramente uma natureza refinada e sensível. Não pude deixar de observar que, quando tomou o assento que Holmes lhe oferecera, seus lábios e mãos tremiam, e ela demonstrava todos os sinais de nervosismo contido.

— Vim procurá-lo, Sr. Holmes — disse ela —, porque uma vez o senhor permitiu à minha patroa, Sra. Cecil Forrester, solucionar um pequeno problema doméstico. Ela ficou muito impressionada com sua bondade e habilidade.

— Sra. Cecil Forrester — repetiu ele, pensativo. — Creio que lhe tenha prestado algum serviço irrelevante. Pelo que me lembro, no entanto, o caso foi bem simples.

— Ela não pensava assim. Mas não se pode dizer o mesmo do meu. Mal consigo imaginar coisa mais estranha, mais inexplicável, que a situação em que me encontro.

Holmes esfregou as mãos e os olhos cintilaram. Inclinou-se à frente em sua poltrona com uma expressão de incrível concentração nos traços bem definidos e aquilinos.

— Explique seu caso — disse ele, em tom breve e profissional.

Senti que eu estava em uma posição embaraçosa.

— A senhora certamente me perdoará — falei ao me levantar. Para minha surpresa, a jovem estendeu a mão enluvada para me impedir.

— Se o seu amigo — disse ela — tiver a bondade de ficar, pode ser de ajuda inestimável para mim.

Sentei-me novamente.

— Vou resumir os fatos — continuou ela. — Meu pai, oficial em um regimento indiano, mandou-me de volta para casa quando eu era bem pequena. Minha mãe havia morrido e eu não tinha nenhum parente na Inglaterra. Contudo, puseram-me em um confortável internato em Edimburgo, e lá fiquei até completar dezessete anos. Em 1878, meu pai, que era capitão veterano de seu regimento, obteve uma licença de doze meses e veio para a Inglaterra. Ele me telegrafou de Londres contando que havia chegado bem e pedindo que eu voltasse para cá imediatamente, dando como seu endereço o Langham Hotel. Lembro-me que sua mensagem estava repleta de bondade e amor. Ao chegar a Londres, fui até o Langham e disseram-me que o capitão Morstan estava hospedado lá, mas saíra na noite da véspera e não regressara. Esperei o dia todo, sem qualquer notícia dele. Naquela noite, a conselho do gerente do hotel, entrei em contato com a polícia e, na manhã seguinte, nós publicamos anúncios em todos os jornais. Nossas indagações não resultaram em nada; e, desde aquele dia, jamais se soube algo sobre meu pobre pai. Ele voltou à pátria cheio de esperança de encontrar um pouco de paz, algum conforto e, em vez disso...

Ela levou a mão ao pescoço e um soluço contido terminou a frase.

— A data? — perguntou Holmes, abrindo sua agenda.

— Ele desapareceu no dia 3 de dezembro de 1878, há quase dez anos.

— A bagagem dele?

— Ficou no hotel. Nela não havia nada que servisse de pista... algumas roupas, alguns livros, e um número expressivo de curiosidades das ilhas Andamão. Ele tinha sido um dos oficiais encarregados da guarda dos prisioneiros de lá.

— Ele tinha algum amigo na cidade?

— Pelo que sabemos, apenas um, o major Sholto, de seu próprio regimento, o 34º Regimento de Infantaria de Bombaim. O major havia se reformado um tempo antes e morava em Upper Norwood. Entramos em contato com ele, claro, que sequer sabia que seu companheiro estava na Inglaterra.

— Um caso singular — observou Holmes.

— Ainda não lhe descrevi a parte mais singular. Há cerca de seis anos, no dia 4 de maio de 1882, para ser exata, apareceu um anúncio no *Times* indagando o endereço da Srta. Mary Morstan, e declarando que seria de interesse dela apresentar-se. Não havia nenhum nome ou endereço anexado. Naquele momento, eu começava a trabalhar como governanta para a família da Sra. Cecil Forrester. A conselho dela, publiquei meu endereço na coluna de anúncios. No mesmo dia chegou pelo correio uma caixinha de papelão endereçada a mim. Nela, encontrei uma imensa pérola reluzente. Não havia nenhuma palavra dentro. Desde então, a cada ano, na mesma data, sempre apareceu uma caixa semelhante, contendo uma pérola parecida, sem nenhuma pista do remetente. Segundo um especialista, elas são de uma espécie rara e de considerável valor. Pode ver, por si mesmo, como são lindas.

Enquanto falava, ela abriu uma caixa e mostrou-me seis das mais lindas pérolas que eu já vira.

— Seu relato é extremamente interessante — disse Sherlock Holmes. — Mais alguma coisa lhe ocorreu?

— Sim, e justamente hoje. Foi por isso que eu o procurei. Hoje de manhã eu recebi esta carta, que talvez queira ler.

— Obrigado — disse Holmes. — O envelope também, por favor. Carimbo: Londres, S.W. Data: 7 de julho. Hum! Uma digital de polegar masculino, no canto... provavelmente o carteiro. Papel da melhor qualidade. Envelopes de seis *pence* o pacote. Um homem exigente com seus artigos de papelaria. Nenhum endereço. "Fique junto à terceira coluna, a partir da esquerda, em frente ao Lyceum Theatre, esta noite, às sete horas. Se estiver desconfiada, leve dois amigos. Foi lesada e a justiça lhe será feita. Não leve a polícia. Se levar, será tudo em vão. Seu amigo desconhecido." Bem, realmente este é um pequeno enigma encantador! Que pretende fazer, Srta. Morstan?

— Isso é exatamente o que quero lhe perguntar.

— Nesse caso, certamente devemos ir... a senhora, eu e... sim, claro, o Dr. Watson é o homem certo. Seu correspondente diz dois amigos. Ele e eu já trabalhamos juntos em outra ocasião.

— Mas ele iria? — perguntou ela com um tom de súplica na voz e no rosto.

— Será uma honra e um prazer — respondi, fervorosamente —, se eu puder lhe ser útil de alguma forma.

— São ambos muito bondosos — disse ela. — Levei uma vida reclusa e não tenho amigos a quem recorrer. Se eu estiver aqui às seis horas estará bem, não é?

— Não deve chegar mais tarde que isso — respondeu Holmes. — Mas há outra coisa. Essa letra é a mesma dos endereços das caixas das pérolas.

— Estou com eles aqui — avisou ela, pegando meia dúzia de pedaços de papel.

— A senhorita é sem dúvida uma cliente exemplar. Tem a intuição correta. Agora, vejamos. — Ele espalhou os papéis sobre a mesa e deu uma olhada em todos. — A letra está disfarçada, com exceção à carta — disse ele, depois de um instante. — Mas não há dúvida quanto à autoria. Está vendo como a letra E grega surge, e o S floreado no final? Indubitavelmente são todos da mesma pessoa. Não quero dar falsas esperanças, Srta. Morstan, mas há alguma semelhança entre essa letra e a de seu pai?

— Não poderia ser mais diferente.

— Imaginei que diria isso. Ficaremos à sua espera, então, às seis horas. Deixe-me ficar com estes papéis, por favor. Posso analisar o caso até lá. São só três e meia. Então, *au revoir*.

— *Au revoir* — disse a nossa visitante; e, lançando o olhar radiante e bondoso a nós dois, ela pôs a caixa de pérolas de volta no colo e logo saiu.

Junto à janela, eu a observei descendo a rua, até que o turbante cinza com a pluma branca não passasse de um pontinho na multidão.

— Mas que mulher atraente! — exclamei ao virar para meu companheiro.

Ele reacendera o cachimbo e estava recostado, de pálpebras caídas.

— É mesmo? — perguntou, languidamente. — Nem notei.

— Você é realmente um autômato... uma máquina de calcular! — exclamei. — Às vezes há algo realmente desumano em você.

Ele sorriu levemente.

— É de suma importância que não deixemos nosso juízo ser influenciado por qualidades pessoais. Para mim, um cliente é meramente uma unidade, o fator de um problema. As qualidades emocionais são antagônicas ao raciocínio claro. Posso lhe garantir que a mulher mais formosa que conheci foi enforcada por envenenar três criancinhas pelo dinheiro do seguro delas, e o homem mais repulsivo que já vi é um filantropo que gastou quase um quarto de milhão com os pobres de Londres.

— Nesse caso, no entanto...

— Nunca faço exceções. Uma exceção anula a regra. Já teve alguma oportunidade de estudar o caráter segundo a caligrafia? O que acha dos rabiscos desse sujeito?

— É uma letra legível e comum — respondi. — Hábitos de um homem de negócios e alguma força de caráter.

Holmes meneou a cabeça.

— Olhe estas letras longas — disse ele. — Mal se elevam uma acima das outras. Aquele *d* poderia ser um *a*, e aquele *l* um *e*. Homens de caráter sempre diferenciam as letras longas, por mais ilegível que seja a sua caligrafia. Há vacilação nos *k*s e amor-próprio nas maiúsculas. Vou sair agora. Tenho algumas consultas a fazer. Permita que lhe recomende esse livro... um dos mais notáveis já escritos. *Martyrdom of Man*, de Winwood Reade. Estarei de volta em uma hora.

Sentei-me junto à janela com o livro na mão, mas meus pensamentos iam longe das especulações audazes do autor. Minha mente desviava para nossa visitante recente: seus sorrisos, os tons fortes e profundos de sua voz, o estranho mistério envolvendo sua vida. Se ela tinha dezessete anos na época do desaparecimento do pai, agora devia estar com vinte e sete, uma idade encantadora, em que a juventude perdeu seu acanhamento e já ganhou alguma moderação pela experiência. Permaneci refletindo até que me ocorreram pensamentos tão perigosos que rapidamente segui até a escrivaninha e mergulhei no último tratado de patologia. Quem era eu, um médico do exército, com uma perna enfraquecida, e uma conta bancária ainda mais fraca, para ousar pensar em tais coisas? Ela era uma unidade, um fator... nada além disso. Se meu futuro era sombrio, era melhor encará-lo como um homem, em lugar de tentar adorná-lo com meras ilusões.

CAPÍTULO III

Em busca de uma solução

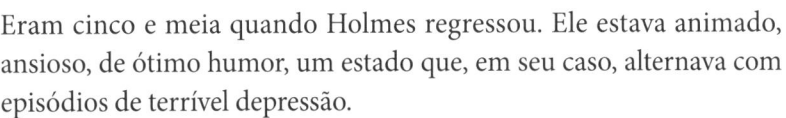

Eram cinco e meia quando Holmes regressou. Ele estava animado, ansioso, de ótimo humor, um estado que, em seu caso, alternava com episódios de terrível depressão.

— Não há nenhum grande mistério nesse assunto — disse ele, pegando a xícara de chá que eu lhe servira. — Os fatos parecem admitir apenas uma explicação.

— O quê? Já o resolveu?

— Bem, isso seria exagero. Descobri um fato sugestivo, apenas isso. No entanto, é *bem* sugestivo. Ainda carece acrescentar os detalhes. Consultando os arquivos do *Times*, eu acabo de descobrir que o major Sholto, de Upper Norwood, ex-membro do 34º Regimento de Infantaria de Bombaim, morreu no dia 28 de abril de 1882.

— Talvez eu seja muito obtuso, Holmes, mas não consigo ver o que isso quer dizer.

— Não? Você me surpreende. Então, veja a coisa da seguinte maneira. O capitão Morstan some. A única pessoa em Londres que ele poderia ter visitado é o major Sholto. O major Sholto nega ter sabido que ele estava em Londres. Quatro anos depois, Sholto morre. *Menos de uma semana depois de sua morte*, a filha do capitão Morstan recebe um presente valioso, que é enviado, repetidamente, ano após ano, culminando com a atual carta que a descreve como "mulher lesada". A que dano estariam se referindo, se não a essa privação de seu pai? E por que os presentes teriam começado a vir imediatamente após a morte de Sholto, a menos que o herdeiro deste saiba algo sobre o mistério e deseje recompensá-la? Tem alguma outra teoria que corresponda aos fatos?

— Mas que compensação mais estranha! E feita de um jeito igualmente esquisito! Fora isso, por que haveria ele de escrever uma carta agora, e não seis anos atrás? Além disso, a carta fala de lhe fazer justiça. Que justiça pode ser feita? Seria demais supor que seu pai ainda está vivo. No caso dela, não há outra injustiça de que se tenha conhecimento.

— Há certas dificuldades; certamente há dificuldades — disse Sherlock Holmes, pensativo. — Mas nossa averiguação de hoje à noite resolverá todas elas. Ah, ali está um *four-wheeler*, e a Srta. Morstan está dentro dele. Está pronto? Então, é melhor descermos, pois estamos ligeiramente atrasados.

Peguei meu chapéu e minha bengala mais pesada, mas notei que Holmes tirou seu revólver da gaveta e o enfiou no bolso. Evidentemente pensava que nosso trabalho da noite poderia ser sério.

A Srta. Morstan estava agasalhada com uma capa escura e sua feição sensível estava serena, apesar de pálida. Seria preciso ser mais que uma mulher para não sentir nenhuma angústia diante daquela estranha aventura em que estávamos ingressando, mas seu autocontrole era perfeito e ela prontamente respondeu às perguntas adicionais feitas por Sherlock Holmes.

— O major Sholto era um amigo muito especial do papai — disse ela. — Suas cartas são repletas de alusões ao major. Ele e papai estavam no comando das tropas nas ilhas Andamão, por isso estavam sempre juntos. Aliás, foi encontrado na escrivaninha do papai um papel curioso que ninguém conseguiu entender. Não dei qualquer importância ao fato, mas achei que talvez quisesse vê-lo e trouxe-o comigo. Aqui está.

Holmes desdobrou o papel cuidadosamente e alisou-o por cima do joelho. Em seguida, examinou-o muito atentamente com sua lente dupla.

— É papel de fabricação nativa indiana — observou. — Em algum momento esteve pregado em um quadro. O diagrama nele contido parece ser a planta de parte de um edifício vultoso, com muitos vestíbulos, corredores e passagens. Em um ponto, há uma pequena cruz de tinta vermelha, e sobre ela se lê "3,37 a partir da esquerda", em uma escrita já desbotada feita a lápis. No canto esquerdo há quatro cruzes, semelhantes a um hieróglifo, em linha com os antebraços se tocando. Ao lado, está escrito, em caracteres bem rústicos: "O signo dos quatro – Jonathan Small, Mahomet Singh, Abdullah Khan, Dost Akbar". Não, confesso que não vejo que relação isso pode ter com o caso. Mas é evidente que se trata de um documento importante. Foi cuidadosamente guardado em uma carteira, pois está tão limpo de um lado quanto de outro.

— Foi na carteira dele que nós o encontramos.

— Sendo assim, guarde-o com cuidado, Srta. Morstan, pois pode vir a ser útil para nós. Começo a suspeitar que esse assunto pode ser bem mais profundo e sutil do que eu havia suposto no início. Preciso reconsiderar minhas impressões.

Ele se recostou na carruagem e eu pude ver, pela testa retraída e os olhos vagos, que estava absorto em pensamentos. A Srta. Morstan e eu ficamos papeando baixinho, falando sobre aquela expedição e seu possível resultado, mas nosso companheiro manteve-se reservado e impenetrável até o fim do trajeto.

Era um fim de tarde de setembro e ainda não eram sete horas, mas havia sido um dia sombrio, chuviscava e um nevoeiro denso recaíra sobre a grande cidade. Nuvens cor de lama pendiam desanimadoramente acima das ruas enlameadas. Ao longo do Strand, os lampiões não passavam de borrões de luz difusa que projetavam um reflexo débil e tremulante na calçada escorregadia. O clarão amarelo das vitrines penetrava o ar denso, lançando fachos tenebrosos pela rua apinhada. Eu tinha a impressão de que havia algo sinistro e fantasmagórico na procissão infindável de rostos que rapidamente passavam por esses estranhos fachos de luz; rostos tristes e alegres, abatidos e risonhos. Como toda humanidade, moviam-se rapidamente da escuridão para a luz, e voltavam à escuridão. Não sou sujeito a impressões, mas a tarde enevoada, pesada, mesclada ao estranho negócio em que estávamos envolvidos, deixou-me nervoso e deprimido. Pelos modos da Srta. Morstan, eu via que ela estava tomada pelo mesmo sentimento. Só Holmes conseguia se sobrepor a essas influências efêmeras. Mantinha sua agenda aberta no colo e, de tempo em tempo, anotava números e lembretes à luz de sua lanterna de bolso.

No Lyceum Theatre, a multidão já se formava junto às entradas laterais. Na frente, de uma procissão de ruidosos *hansoms* e *four-wheelers*, desembarcavam homens de peitilho engomado e mulheres trajando capas e repletas de diamantes. Mal tínhamos chegado à terceira coluna, local de nosso encontro, quando um moreno baixinho arisco vestido de cocheiro nos abordou.

— São os acompanhantes da Srta. Morstan? — perguntou ele.

— Sou a senhorita Morstan e estes dois cavalheiros são meus amigos — respondeu ela.

Ele nos fitou com olhar penetrante e inquisitivo.

— Perdoe-me, senhorita — disse ele, com tom insistente —, mas tenho que lhe pedir sua palavra de que nenhum de seus companheiros é da polícia.

— Tem minha palavra — respondeu ela.

Ele deu um assobio agudo, e um garoto de rua trouxe um *four-wheeler* e abriu a porta. O homem que falara conosco subiu na dianteira, enquanto nós entramos na cabine. Mal havíamos nos instalado quando o cocheiro fustigou o cavalo e saímos rapidamente pelas ruas enevoadas.

Era uma situação curiosa. Seguíamos para um local desconhecido, com uma missão desconhecida. No entanto, ou o convite que recebêramos era uma enganação absoluta, hipótese inconcebível, ou tínhamos bons motivos para achar que assuntos importantes dependiam de nossa viagem. A postura da Srta. Morstan estava resoluta e controlada como sempre. Procurei alegrá-la e diverti-la falando de minhas aventuras no Afeganistão, mas, a bem da verdade, eu mesmo estava tão ansioso com a situação, e tão curioso quanto ao nosso paradeiro, que minhas histórias ficaram meio confusas. Até hoje ela afirma que eu lhe contei uma história comovente sobre um mosquete que entrou em minha barraca, tarde da noite, e como disparei um filhote de tigre de cano duplo contra ele. No começo, eu fazia alguma ideia da direção em que estávamos seguindo, mas, depois, por conta de nossa velocidade, da neblina e de meu conhecimento limitado de Londres, fiquei desnorteado, sem saber de nada, exceto que seguíamos por um trajeto bem longo. Sherlock Holmes nunca se enganava, porém, e ia murmurando nomes à medida que o carro avançava, aos trancos, passando pelas quadras, entrando e saindo de ruas sinuosas.

— Rochester Row — disse ele. — Agora Vincent Square. Agora saímos na Vauxhall Bridge Road. Parece que estamos indo para o lado de Surrey. Sim, é o que pensei. Agora estamos seguindo sobre a ponte. Dá para ter um vislumbre do rio.

De fato tivemos uma visão passageira de um trecho do Tâmisa, com as lâmpadas refletidas na água vasta e silenciosa; mas nosso carro fez uma conversão e logo seguiu por um labirinto de ruas do lado oposto.

— Wordsworth Road — disse meu companheiro. — Priory Road. Lark Hall Lane. Stockwell Place. Robert Street. Cold Harbour Lane. Nossa busca não parece nos levar para regiões muito refinadas.

Havíamos de fato chegado a uma vizinhança questionável e perigosa. Longas linhas de casas de tijolinho abrandadas apenas pelo clarão vulgar das tabernas de esquina. Depois vieram as fileiras de sobrados de dois andares, cada um com um jardim em miniatura na frente, depois novamente fileiras intermináveis de prédios de tijolos novos e espalhafatosos, tentáculos monstruosos que a cidade gigantesca lançava em direção ao campo. Por fim, a carruagem parou diante da terceira porta de um novo punhado de casas geminadas. Nenhuma das outras casas estava ocupada e aquele onde paramos estava tão escura quanto as vizinhas, exceto por uma única luz empalidecida na janela da cozinha. Porém, ao batermos, a porta foi logo aberta por um criado hindu de turbante amarelo, roupas brancas e largas e uma faixa igualmente amarela. Havia algo de estranhamente incompatível nessa figura oriental emoldurada pelo portal simples de uma morada suburbana de terceira classe.

— O *sahib* os aguarda — informou ele, e, enquanto falava, ouviu-se uma voz aguda e estridente vinda de algum cômodo interno.

— Traga-os aqui, *khitmutgar* — disse a voz. — Traga-os aqui imediatamente.

CAPÍTULO IV
A história do calvo

Seguimos o indiano por uma galeria sórdida e comum, de iluminação ruim e mobília ainda pior, até chegarmos a uma porta à direita, que ele abriu. Fomos banhados por um facho de luz amarelada e no centro havia um homenzinho de cabeça bem pontuda, com uma auréola de cabelos ruivos eriçados e um couro cabeludo careca e reluzente, mais parecendo um pico montanhoso. De pé, retorcia as mãos, com as feições em contínuo movimento – ora sorrindo, ora franzindo as sobrancelhas, mas nunca imóveis. A natureza lhe dera lábios caídos e dentes projetados, amarelos e irregulares, que ele tentava, em vão, esconder, passando constantemente a mão na parte inferior do rosto. Apesar da calvície evidente, parecia ser jovem. De fato, mal havia chegado aos trinta anos.

— Seu criado, Srta. Morstan — repetia em uma voz fina e aguda. — Seu criado, cavalheiros. Por favor, entrem em meu pequeno santuário. Um lugar pequeno, senhorita, mas mobiliado a meu gosto. Um oásis no desolado deserto do sul londrino.

Ficamos todos espantados diante do aspecto do cômodo que ele nos convidava a entrar. Naquela casa deplorável, parecia tão deslocado quanto um diamante em um engaste de latão. As mais ricas e brilhosas cortinas e tapeçarias forravam as paredes, afastadas em alguns lugares para expor uma pintura ricamente emoldurada ou um vaso oriental. O tapete era âmbar e preto, tão macio e espesso que o pé afundava agradavelmente, como em um leito de musgo. Duas imensas peles de tigre estendidas obliquamente sobre ele aumentavam a impressão do luxo oriental, bem como o enorme narguilé em um canto, em cima da esteira. No centro da sala, uma lamparina em formato de pomba pendia de um fio de ouro quase invisível. Enquanto ardia, permeava o ar com um aroma sutil e perfumado.

— Sr. Thaddeus Sholto — disse o homenzinho, ainda remexendo o rosto e sorrindo. — Este é meu nome. A senhora é a Srta. Morstan, é claro. E esses cavalheiros...

— Este é o Sr. Sherlock Holmes e este é o Dr. Watson.

— Um médico, hã? — exclamou ele, em alvoroço. — Trouxe seu estetoscópio? Posso lhe pedir... faria uma gentileza? Tenho grandes dúvidas quanto à minha válvula mitral, se tivesse a bondade. Posso confiar na aórtica, mas gostaria de sua opinião a respeito da mitral.

Auscultei-lhe o coração, como pediu, mas não consegui encontrar nada de errado, exceto, de fato, que ele estava agitado pelo medo, pois tremia dos pés à cabeça.

— Parece normal — falei. — Não há motivo para se preocupar.

— Peço perdão por minha ansiedade, Srta. Morstan — disse ele com afetação. — Sou muito doente e há tempos desconfio dessa válvula. Alegro-me em saber que são desconfianças infundadas. Se seu pai, Srta. Morstan, tivesse evitado exigir demais de seu coração, talvez estivesse vivo agora.

Eu poderia tê-lo acertado na cara, tal foi minha ira diante desse comentário insensível e incalculado a respeito de um assunto tão delicado. A Srta. Morstan se sentou com o rosto empalidecido.

— No fundo de meu coração eu sabia que ele estava morto — disse ela.

— Posso lhe dar todas as informações — disse ele. — Mais ainda, eu posso lhe fazer justiça; e é o que farei, não importa o que o irmão Bartholomew diga. Estou muito satisfeito por ter seus amigos aqui, não só como seus acompanhantes, mas também como testemunhas do que estou prestes a fazer e dizer. Nós três podemos enfrentar o irmão Bartholomew. Mas nada de estranhos... nada de polícia nem autoridades. Podemos acertar tudo de maneira satisfatória entre nós, sem qualquer interferência. Nada irritaria o irmão Bartholomew mais do que publicidade.

Ele se sentou em um pufe baixo e nos olhou inquisitivamente com seus olhos azuis fracos e lacrimosos.

— De minha parte — disse Holmes —, qualquer coisa que decida fazer não sairá daqui.

Assenti concordando.

— Ótimo! Ótimo! — exclamou ele. — Posso lhe oferecer um copo de Chianti, Srta. Morstan? Ou de Tokay? São os únicos vinhos que tenho. Devo abrir uma garrafa? Não? Bem, nesse caso, espero que não faça objeção ao fumo, ao perfume balsâmico do tabaco oriental. Estou meio nervoso e considero meu narguilé um sedativo inestimável.

Ele aproximou a vela do grande fornilho e a fumaça borbulhou alegremente através da água de rosas. Nós três nos sentamos em um semicírculo, as cabeças estendidas à frente e os queixos apoiados nas mãos, enquanto, constrangido, o homenzinho careteiro de cabeça pontuda e reluzente dava suas baforadas no centro.

— Quando decidi lhe fazer essa comunicação — disse ele —, poderia ter lhe dado meu endereço. No entanto, tive receio que pudesse desconsiderar meu pedido e trazer pessoas desagradáveis consigo. Desse modo, tomei a liberdade de marcar um encontro de forma que meu criado Williams os visse primeiro. Confio inteiramente em seu discernimento e ele tinha ordens para que, caso ficasse insatisfeito, não levasse o plano adiante. Vão me perdoar por essas preocupações, mas sou um homem de gostos bem reclusos, posso até dizer refinados, e não há nada mais inestético que um policial. Sinto uma aversão natural por todas as formas de materialismo rude, e é raro que eu tenha contato com a multidão grosseira. Como vocês podem ver, eu vivo cercado por minha pequena atmosfera de elegância. Posso me intitular um protetor das artes. Essa é a minha fraqueza. A paisagem é um Corot autêntico e, embora um *connaisseur* talvez possa lançar dúvida sobre aquele Salvator Rosa, não há a menor dúvida quanto ao Bouguereau. Sou apreciador da escola francesa moderna.

— Perdoe-me, Sr. Sholto — começou a Srta. Morstan —, mas vim aqui a seu pedido para ser informada sobre algo que deseja me contar. Está muito tarde e eu gostaria que nosso encontro fosse o mais breve possível.

— Na melhor das hipóteses ele deverá demandar algum tempo — respondeu ele —, pois certamente teremos de ir a Norwood para ver o irmão Bartholomew. Iremos todos para ver se conseguimos nos sair bem. Ele está muito enraivecido comigo por ter tomado o caminho que me pareceu correto. Tivemos uma altercação exaltada ontem à noite. Você não faz ideia de que sujeito terrível ele é quando fica irritado.

— Se temos de ir a Norwood, talvez fosse melhor partir imediatamente — arrisquei comentar.

Ele riu até ficar de orelhas vermelhas.

— Sem condições — exclamou. — Não sei o que ele diria se eu os levasse repentinamente. Não, eu preciso prepará-los, mostrando-lhes em que pé estamos um em relação ao outro. Primeiramente, devo lhes dizer que há vários pontos da história que eu mesmo ignoro. Só posso lhes apresentar os fatos na medida em que os conheço.

"Meu pai era, como talvez já imaginem, o major John Sholto, ex--membro do Exército indiano. Ele se reformou há cerca de onze anos e veio morar em Pondicherry Lodge, em Upper Norwood. Prosperou na Índia e trouxe consigo considerável quantia de dinheiro, uma vasta coleção de curiosidades valiosos e vários criados nativos. Com essas vantagens, comprou uma casa e viveu de forma luxuosa. Meu irmão gêmeo Bartholomew e eu éramos seus únicos filhos.

"Lembro-me muito bem da sensação causada pelo desaparecimento do capitão Morstan. Lemos os detalhes nos jornais e, sabendo que ele havia sido amigo de nosso pai, discutimos o caso abertamente em sua presença. Ele costumava participar de nossas especulações quanto ao que poderia ter acontecido. Nunca, nem por um instante, suspeitamos de que ele guardasse o segredo todo no próprio peito; que, entre todos os homens, ele era o único que conhecia o destino de Arthur Morstan.

"Sabíamos, porém, que algum mistério, algum perigo real, pairava sobre nosso pai. Ele tinha muito medo de sair sozinho, e sempre empregava dois pugilistas para servirem de porteiros em Pondicherry Lodge. Williams, que os trouxe até aqui esta noite, era um deles. Foi outrora campeão dos pesos leves da Inglaterra. Nosso pai nunca nos contou seus temores, mas tinha extrema aversão aos homens com pernas de pau. Em certa ocasião, chegou até mesmo a disparar seu revólver em um perna de pau, que se provou inofensivo comerciante em busca de encomendas. Tivemos que pagar uma quantia significativa para abafar o caso. Meu irmão e eu achávamos que isso fosse mero capricho de meu pai, mas os acontecimentos posteriores fizeram com que mudássemos de opinião.

"No começo de 1882, meu pai recebeu uma carta da Índia que o chocou profundamente. Ao abri-la, quase desmaiou à mesa do desjejum e, desde esse dia, adoeceu cada vez mais, até morrer. Não conseguimos descobrir o que a carta dizia, mas pude ver, quando ele a segurava, que era curta e escrita com uma letra garranchada. Fazia anos que ele vinha sofrendo com um inchaço no baço, mas então piorou rapidamente e no fim de abril fomos informados de que estava condenado e desejava fazer uma última comunicação.

"Quando adentramos seu quarto, ele estava recostado em travesseiros e respirava com dificuldade. Rogou que trancássemos a porta e ficássemos em ambos os lados de sua cama. Então, envolvendo nossas mãos com as suas, ele fez uma declaração incrível em uma voz embargada de emoção e dor. Farei um esforço para repeti-la da forma mais fiel possível.

"'Há apenas uma coisa" — disse ele — "pesa em minha consciência nesse momento supremo. A forma como tratei a pobre órfã de Morstan. A maldita cobiça que foi um pecado constante durante toda minha vida e a privou de seu tesouro, do qual pelo menos a metade deveria ter sido dela. Porém, eu mesmo não fiz uso dele, tão cega e insensata é a avareza. A mera sensação de posse me era tão cara que eu não conseguiria aguentar ter que partilhá-lo com mais ninguém. Estão vendo aquele diadema guarnecido de pérolas junto ao frasco de quinino? Nem dele suportei me separar, embora o tenha tirado com a intenção de enviá-lo para ela. Vocês, meus filhos, vão dar a ela uma justa parte do tesouro de Agra. Mas não lhe enviem nada, nem mesmo o diadema, até que eu me vá. Afinal, homens que estiveram tão doentes como estou conseguiram se recuperar.

"'Vou contar a vocês como foi que Morstan morreu'" — continuou ele. — "'Ele já sofria do coração havia anos, mas escondia isso de todos. Eu era o único que tinha conhecimento disso. Na Índia, graças a uma série de circunstâncias, quando ele e eu ficamos de posse de um tesouro extraordinário. Eu o trouxe para a Inglaterra e, na noite em que chegou, Morstan seguiu direto para cá a fim de reclamar sua parte. Veio a pé da estação e foi recebido por meu velho e fiel Lal Chowdar, que já faleceu. Morstan e eu tínhamos opiniões divergentes a respeito da divisão do tesouro e chegamos a trocar palavras inflamadas. Morstan havia se levantado de sua cadeira de um salto em meio a uma crise de raiva quando subitamente levou a mão ao peito, seu rosto adquiriu uma tonalidade escura e ele caiu para trás, cortando a cabeça na quina da arca do tesouro. Ao me debruçar sobre ele constatei, para meu horror, que estava morto.

"'Durante muito tempo fiquei ali, sentado e aturdido, perguntando-me o que deveria fazer. Naturalmente, meu primeiro impulso foi pedir ajuda, mas não pude deixar de reconhecer que havia grandes chances que eu fosse acusado de tê-lo assassinado. Sua morte, em meio a uma briga, e o corte em sua cabeça, deporiam contra mim. Além disso, não era possível que um inquérito oficial ocorresse sem que fatos sobre o tesouro fossem revelados, fatos que eu estava particularmente aflito para manter em segredo. Ele havia me dito que não havia vivalma que sabia para onde ele tinha ido. E, para mim, parecia não haver necessidade de que alguém viesse a saber.

"'Ainda estava ponderando sobre isso, quando, ao erguer os olhos, avistei meu criado, Lal Chowdar, no vão da porta. Ele entrou e a trancou atrás de si'. *Não tema, sahib*, disse ele; *ninguém precisa saber que o senhor o matou. Podemos escondê-lo e quem saberá?* 'Não o matei', eu disse. Lal Chowdar meneou a cabeça e sorriu. *Ouvi tudo, sahib*, disse ele. Ouvi a briga e ouvi o golpe. Meus lábios estão lacrados. Todos na casa estão dormindo. Vamos escondê-lo juntos. Foi o suficiente para que eu me decidisse. Se nem meu criado conseguia acreditar que eu era inocente, como poderia eu esperar que convenceria uma dúzia de comerciantes parvos em uma banca de jurados? Naquela noite, Lal Chowdar e eu demos fim ao corpo e, depois de alguns dias, os jornais de Londres estavam apinhados de relatos sobre o misterioso desaparecimento do capitão Morstan. Pelo que digo, vocês verão que eu dificilmente poderia ser culpado por isso. Meus equívocos repousam no fato de termos escondido não apenas o corpo, mas também o tesouro, e por eu ter me apossado da parte de Morstan além da minha. Portanto, meu desejo é que façam a restituição. Venham e aproximem seus ouvidos à minha boca. O tesouro está escondido no...

"Nesse instante, sua expressão mudou de forma terrível; os olhos se arregalaram, o queixo caiu e ele gritou, com uma voz que jamais me esqueci: 'Não o deixem entrar! Pelo amor de Deus, não o deixem entrar!' Viramos os dois para a janela atrás de nós, onde ele fixava o olhar. Um rosto fitava na escuridão. Era possível distinguir a mancha branca onde o nariz achatava a vidraça. O rosto era barbudo, de olhos selvagens e cruéis, com uma expressão de perversidade concentrada. Meu irmão e eu corremos em direção à janela, mas o homem havia desaparecido. Quando regressamos ao leito de meu pai, sua cabeça pendia e seu pulso cessara de bater.

"Naquela noite, vasculhamos o jardim, mas não encontramos sinal do intruso, com exceção de uma única pegada deixada em um canteiro bem embaixo da janela. Se não fosse por isso, poderíamos ter achado que aquele rosto feroz era fruto de nossa imaginação. No entanto, logo em seguida tivemos outra e mais impactante prova da existência de forças ocultas ao nosso redor. A janela do quarto de meu pai estava aberta pela manhã. Os armários e caixas haviam sido revirados e, em cima de seu peito, havia um pedaço de papel rasgado em que se lia: "O signo dos quatro". O significado delas, ou quem teria sido nosso visitante, jamais descobrimos. Até onde pudemos calcular, nenhum pertence de meu pai havia sido roubado, embora tudo estivesse revirado.

Naturalmente, meu irmão e eu associamos esse incidente singular ao temor que havia assombrado meu pai durante sua vida, mas ele continua sendo um mistério completo para nós.

O homenzinho interrompeu a fala para reacender seu narguilé e fumou pensativo por alguns minutos. Sentados em nossos lugares, estávamos todos envolvidos ouvindo esse relato impressionante. Durante a breve narrativa da morte de seu pai, a Srta. Morstan ficara mortalmente empalidecida e, por um momento, temi que estivesse prestes a desmaiar. Mas ela se recuperou com um copo d'água que lhe entreguei em silêncio de uma garrafa veneziana que vi em uma mesinha. Sherlock Holmes estava recostado na cadeira com uma expressão distraída e as pálpebras semicerradas sobre os olhos cintilantes. Ao observá-lo, não pude deixar de pensar como ele havia se queixado da trivialidade da vida mais cedo naquele dia. Ali, pelo menos estava um problema que exigiria o máximo de sua perspicácia. O Sr. Thaddeus Sholto nos percorria com o olhar, com orgulho evidente diante do efeito causado pelo relato, e em seguida prosseguiu, em meio às baforadas que produzia com o imenso cachimbo.

— Como podem imaginar — disse ele —, meu irmão e eu ficamos muito agitados com o tesouro de que meu pai falara. Durante semanas e meses, nós cavamos e vasculhamos cada canto do jardim sem descobrir sua localização. Era enlouquecedor pensar que o esconderijo estivera nos lábios dele no momento de sua morte. Era possível avaliar o esplendor das riquezas desaparecidas com o diadema. Meu irmão Bartholomew e eu discutimos um bocado por esse diadema. Era evidente que as pérolas tinham grande valor e ele não aceitava se desfazer delas, pois, aqui entre nós, ele próprio era um pouco propenso ao defeito de meu pai. Ele também achava que se nos desfizéssemos do diadema poderíamos suscitar boatos, acabando por nos envolver em apuros. Não pude fazer nada além de convencê-lo a me deixar descobrir o endereço da Srta. Morstan e enviar-lhe uma pérola avulsa, em intervalos fixos, a fim deque ao menos ela nunca conhecesse a privação.

— Foi uma ideia generosa — disse nossa companheira de forma sincera. — Foi um ato de extrema bondade por parte dos senhores.

O homenzinho fez um gesto com a mão, contestando.

— Nós éramos seus depositários — disse ele. — Assim que eu enxergava as coisas, apesar de meu irmão Bartholomew não conseguir vê-las exatamente assim. Nós tínhamos dinheiro suficiente. Eu não queria mais. Além disso, teria sido de péssimo tom tratar uma jovem dama de maneira tão mesquinha. *Le mauvais goût mène au crime*[2]. Os franceses têm uma maneira bem contundente de expressar essas coisas. Nossa divergência de opinião sobre esse assunto chegou a tal ponto que decidi que era melhor vir morar sozinho. Então, deixei Pondicherry Lodge, trazendo o *khitmutgar* e Williams comigo. No entanto, ontem fiquei sabendo que ocorrera um fato de extrema importância. O tesouro havia sido descoberto. Comuniquei-me imediatamente com a Srta. Morstan e agora só nos resta ir até Norwood e reclamar nossa parte. Ontem à noite comuniquei meu ponto de vista ao irmão Bartholomew, de modo que seremos visitantes esperados, se não bem-vindos.

O sr. Thaddeus Sholto calou-se e ficou sentado, remexendo-se em seu pufe suntuoso. Ficamos todos em silêncio, absortos no novo desdobramento do caso misterioso. Holmes foi quem se levantou primeiro.

— O senhor agiu muito bem do começo ao fim, senhor — disse ele. — Existe a possibilidade de que sejamos capazes de lhe dar uma pequena retribuição elucidando o que continua obscuro a seus olhos. Mas, como a Srta. Morstan mencionou há pouco, já está tarde e o melhor seria resolver as coisas o mais rápido possível.

Nosso novo conhecido enrolou o tubo de seu narguilé de forma meticulosa e apanhou atrás de uma cortina um comprido sobretudo com gola e punhos de astracã, abotoado com alamares. Fechou-o até em cima, apesar da noite abafada e deu um toque final em seus trajes com um barrete de pele de coelho com abas pendentes que cobriam suas orelhas de modo que nada não se via a não ser seu rosto móvel e emaciado.

— Minha saúde é um tanto quanto frágil — observou ele, conduzindo-nos pela galeria. — Sou obrigado a agir como um valetudinário.

---

2. Em tradução livre: "O mau gosto leva ao crime".

Nossa carruagem nos aguardava do lado de fora, e era evidente que nosso programa fora organizado de antemão, porque o cocheiro logo fustigou o cavalo a partir a galope. Thaddeus Sholto tagarelava sem parar com uma voz que se sobrepunha ao tropel das rodas.

— Bartholomew é um sujeito esperto — disse. — Como acham que descobriu onde estava o tesouro? Ele concluíra que devia estar em algum ponto dentro de casa. Portanto, calculou toda a área cúbica dela e fez medições meticulosas por todo lado, de modo que nem um centímetro ficou de fora. Entre outras coisas, constatou que o prédio tinha quase vinte e três metros de altura, mas ao somar o pé-direito de todos os pavimentos, incluindo o espaço entre eles, os quais conferiu por meio de perfurações, não conseguiu chegar a mais que vinte e um metros e trinta centímetros. Havia, então, um metro e vinte centímetros não justificados, que só poderiam estar no teto da casa. Então, abriu um buraco no teto de estuque e ripas do cômodo mais alto e lá, como já imaginava, de fato avistou sobre ele outro sótão, que havia sido selado e cuja existência todos ignoravam. No centro dele, sobre duas vigas, estava a arca do tesouro. Ele o desceu pelo buraco e lá está ela. Bartholomew calcula o valor das joias em não menos que meio milhão de libras esterlinas.

Diante da menção dessa soma gigantesca, nós três nos entreolhamos boquiabertos. A Srta. Morstan, se fôssemos capazes de garantir-lhe os direitos, passaria de uma governanta necessitada à mais rica herdeira da Inglaterra. Seguramente caberia a um amigo leal jubilar-se com essa notícia. No entanto, envergonho-me de confessar que fui arrebatado pelo egoísmo e que meu coração pesou como chumbo em meu peito. Balbuciei algumas palavras hesitantes ao parabenizá-la e permaneci abatido, de cabeça baixa, alheio ao falatório de meu novo conhecido. Era evidente que ele era um hipocondríaco, pois eu tinha vaga consciência de que despejava uma série interminável de sintomas, rogando por informações acerca da composição e efeito de inúmeras panaceias de curandeiros, algumas das quais trazia no bolso dentro de um estojo de couro. Torço para que não se lembre de nenhuma das respostas que lhe dei aquela noite. Holmes afirma que me ouviu preveni-lo a respeito do grande perigo de tomar mais de duas gotas de óleo de rícino, ao mesmo tempo em que recomendava estricnina em grandes doses como sedativo. De qualquer modo, certamente fiquei aliviado quando nossa carruagem parou com um tranco e o cocheiro saltou para abrir a porta.

— Esta, Srta. Morstan, é Pondicherry Lodge — disse o Sr. Thaddeus Sholto, ajudando-a a descer.

CAPÍTULO V

A tragédia de Pondicherry Lodge

Eram quase onze horas quando chegamos à última parte de nossa aventura noturna. Deixáramos para trás o nevoeiro úmido da cidade grande e a noite estava razoavelmente boa. Uma brisa morna soprava do oeste e nuvens pesadas atravessavam o céu lentamente, deixando frestas pelas quais a lua minguante ocasionalmente espiava. Estava claro o suficiente para se enxergar a alguma distância, mas Thaddeus Sholto apanhou uma das lanternas laterais da carruagem para iluminar melhor nosso caminho.

Pondicherry Lodge erguia-se no meio de uma grande propriedade e ficava cercada por um muro bem alto de pedra coberto de cacos de vidro. Um portão estreito guarnecido com ferro era a única forma de acesso. Nosso guia bateu com as palmas típicas de carteiros.

— Quem é? — gritou uma voz rude lá de dentro.

— Sou eu, McMurdo. A essa altura, você certamente já conhece minha batida.

Ouvimos resmungos e um tilintar de chaves. A porta foi aberta pesadamente e um homem baixo, de peito largo, parou no vão, a luz amarela da lanterna iluminando o rosto projetado e olhos piscantes e desconfiados.

— É o Sr. Thaddeus? Mas quem são os outros? O patrão não me deu ordem quanto a eles.

— Não, McMurdo? Você me surpreende! Ontem à noite eu disse ao meu irmão que traria alguns amigos.

— Ele não deixou o quarto hoje, Sr. Thaddeus, e eu não recebi ordem alguma. O senhor sabe muito bem que devo me ater às regras. Posso deixar o senhor entrar, mas seus amigos terão que ficar aí fora.

Era um empecilho inesperado. Thaddeus Sholto olhou em volta com uma expressão perplexa e impotente.

— Está agindo muito mal, McMurdo — disse ele. — Se eu respondo por eles, isso deveria lhe bastar. Além disso, há aqui uma jovem dama. Ela não pode ficar no meio da rua a essa hora da noite.

— Sinto muito, Sr. Thaddeus — lamentou-se o porteiro, irredutível. — Eles podem ser seus amigos, mas não são amigos do patrão. Ele me paga muito bem para que eu cumpra minha obrigação, e é minha obrigação que vou cumprir. Não conheço nenhum dos seus amigos.

— Conhece, sim, McMurdo — exclamou Sherlock Holmes em tom jovial. — Creio que ainda não pode ter se esquecido de mim. Não se lembra daquele amador que disputou três *rounds* com você nos salões de Alison na noite em seu benefício, quatro anos atrás?

— Ora, se não é o Sr. Sherlock Holmes! — gritou o pugilista. — Por Deus! Como é que não o reconheci? Se em vez de ficar aí tão quieto o senhor tivesse avançado com um daqueles seus cruzados no queixo, eu logo o teria reconhecido. Ah, o senhor desperdiçou seus talentos! Se tivesse seguido carreira no boxe, poderia ter chegado longe.

— Como vê, Watson, se nada mais der certo, uma das profissões científicas continua aberta para mim — disse Holmes, rindo. — Estou certo de que nosso amigo não vai nos deixar ao relento.

— Pode entrar, senhor, pode entrar... O senhor e seus amigos — respondeu ele. — Sinto muito, Sr. Thaddeus, mas as ordens são muito rigorosas. Precisava me certificar em relação aos seus amigos antes de deixá-los entrar.

Lá dentro, uma trilha de cascalho serpenteava pelo terreno desolado até uma edificação grande, quadrada e prosaica, toda envolta nas sombras, exceto pela janela de um sótão, em um canto, em que reluzia um raio de luar. A construção volumosa, com sua escuridão e aquele silêncio mortal, dava calafrios. Até Thaddeus Sholto não parecia tão à vontade e a lanterna tremia em sua mão.

— Não consigo entender — disse ele. — Deve haver algum engano. Eu disse claramente a Bartholomew que nós viríamos aqui, mas ainda assim não vejo luz alguma em sua janela. Não sei o que pensar a respeito disso.

— Ele sempre mantém a casa vigiada dessa maneira? — perguntou Holmes.

— Sim, adotou o mesmo costume de meu pai. Era o filho preferido, sabe, e às vezes penso que meu pai pode ter lhe contado mais coisas do que a mim. Aquela janela ali, onde o luar está refletindo, é a de Bartholomew. Está bem clara, mas me parece que nenhuma luz vem de seu interior.

— De fato nenhuma — disse Holmes. — Mas vejo um lampejo de luz naquela janelinha ao lado da porta.

— Ah, aquele é o quarto da governanta. Ali que fica a velha Sra. Bernstone. Ela poderá nos contar tudo. Mas talvez não se incomodem de esperar aqui por um momento, pois se formos todos juntos, e ela não estiver a par de nossa vida, é capaz que fique assustada. Mas, psiu! Que é isso?

Ele ergueu a lanterna e sua mão tremia tanto que o facho de luz estremecia e oscilava à nossa volta. A Srta. Morstan agarrou meu punho e ficamos todos em silêncio, com o coração aos pulos, aguçando os ouvidos. Do lado totalmente escuro do casarão, em meio ao silêncio da noite, ecoou o mais triste e lúgubre som: uma lamúria estridente e entrecortada de uma mulher amedrontada.

— É a Sra. Bernstone — disse Sholto. — É a única mulher na casa. Aguardem aqui. Voltarei em um instante.

Ele correu em direção à porta e bateu com seu modo peculiar. Vimos quando uma velha alta lhe abriu a porta e estremecer de prazer em vê-lo.

— Oh, Sr. Thaddeus, que bom que o senhor veio! Que bom que veio, senhor!

Ouvimos suas exclamações repetidas de alívio, até que a porta se fechou e sua voz sumiu em um tom monótono e abafado.

Nosso guia nos deixara com a lanterna. Holmes girou-a lentamente, examinando a casa com atenção, vendo os grandes montes de terra espalhados pelo terreno. A Srta. Morstan e eu continuamos juntos, sua mão ainda na minha. Que coisa maravilhosa e sutil é o amor, pois ali estávamos nós dois, que nunca nos víramos antes, que sequer havíamos trocado uma palavra ou mesmo um olhar afetuoso e, no entanto, agora, naquele momento de inquietação, nossas mãos se buscavam instintivamente. Mais tarde, fiquei deslumbrado com isso, mas, naquele instante, parecia a coisa mais natural que eu me aproximasse dela, e, como me disse muitas vezes depois, ela também teve o impulso de se voltar para mim, buscando conforto e proteção. Ficamos assim, de mãos dadas feito duas crianças, e, apesar de todas as coisas sinistras que nos cercavam, nosso coração estava repleto de paz.

— Que lugar estranho! — disse ela, olhando ao redor.

— Parece que soltaram todas as toupeiras da Inglaterra aqui. Já vi coisa parecida na encosta de um morro, perto de Ballarat, onde garimpeiros haviam feito escavações.

— E pelo mesmo objetivo — disse Holmes. — Esses são os vestígios dos caçadores do tesouro. Não se esqueçam de que eles passaram seis anos em busca dele. Não é de admirar que o terreno pareça uma mina de cascalho.

Nesse momento, a porta da casa se abriu de súbito e Thaddeus Sholto aproximou-se de nós correndo, as mãos estendidas e os olhos aterrorizados.

— Há algo errado com Bartholomew! — gritou ele. — Estou apavorado! Meus nervos não são capazes de suportar isso.

Estava, de fato, quase chorando de medo, e seu rosto frágil e contorcido, sobressalente em meio à enorme gola de astracã, estampava o desamparo suplicante de uma criança apavorada.

— Entremos na casa — disse Holmes com seu jeito firme, decidido.

— Sim, entrem, por favor! — rogou Thaddeus Sholto. — Realmente não me sinto em condições de dar instruções.

Todos nós seguimos até o quarto da governanta, que ficava do lado esquerdo do corredor. A velha andava de um lado para o outro, com uma expressão aterrorizada, remexendo os dedos, mas ao ver a Srta. Morstan, pareceu se acalmar um pouco.

— Deus abençoe seu rosto meigo e tranquilo! — exclamou ela, com um soluço nervoso. — Vê-la me faz bem. Ah, mas passei por duras provações hoje!

Nossa companheira afagou-lhe a mão descarnada e cheia de calos e murmurou algumas palavras de bondoso e feminino consolo, que lobo levaram a cor de volta à face pálida.

— O patrão se trancou e não me responde — explicou ela. — Fiquei esperando que ele me chamasse o dia todo, pois ele gosta de ficar sozinho com certa frequência. Porém, uma hora atrás, temendo que alguma coisa houvesse acontecido, subi e espiei pelo buraco da fechadura. O senhor deve subir, Sr. Thaddeus... Suba e olhe por si mesmo. Já vi o Sr. Bartholomew Sholto na alegria e na tristeza durante dez longos anos, mas nunca o vi com aquela cara.

Sherlock Holmes tomou a lamparina e seguiu na frente, pois Thaddeus Sholto estava rangendo os dentes. Ele estava tão aturdido que tive de segurar seu braço ao subirmos a escada, pois seus joelhos vacilavam. Enquanto subíamos, Sherlock Holmes por duas vezes subitamente sacou a lupa do bolso e examinou minuciosamente marcas que, para mim, pareciam meras manchas sem forma de poeira no tapete de fibra de coco que revestia a escada. Ele subia lentamente, degrau a degrau, mantendo a lamparina baixa e lançando olhares penetrantes à direita e à esquerda. A Srta. Morstan ficara lá embaixo com a governanta apavorada.

O terceiro lance de escada terminava em um corredor estreito e comprido, com uma imensa tapeçaria indiana à direita e três portas à esquerda. Holmes seguiu por ele do mesmo modo lento e metódico, enquanto seguíamos logo atrás, nossas sombras alongadas e negras estendendo-se pelo corredor. A terceira porta era a que buscávamos. Holmes bateu sem receber qualquer resposta e depois tentou girar a maçaneta e forçar para abri-la. Mas estava trancada por dentro e com um trinco forte, como pudemos verificar ao aproximar a lamparina da fechadura. No entanto, como a chave não havia sido girada, o buraco não estava totalmente fechado. Sherlock Holmes curvou-se para olhar e se ergueu no mesmo instante, sorvendo o ar bruscamente.

— Tem algo diabólico nisso, Watson! — disse ele, mais abalado que jamais o vira. — O que acha?

Curvei-me sobre o buraco para espiar e recuei horrorizado. O luar banhava o quarto, dando-lhe um esplendor vago e enganoso. Olhando diretamente para mim, como se estivesse suspenso no ar, porque tudo sob ele estava mergulhado em sombras, pendia um rosto, o mesmíssimo rosto de nosso companheiro Thaddeus. Era a mesma cabeça pontuda, a mesma auréola de cabelos ruivos e eriçados, as mesmas feições pálidas. Os traços, no entanto, estavam inertes, fixas em um sorriso horrendo, um esgar fixo e artificial que naquele quarto silencioso e banhado pelo luar abalava os nervosos mais intensamente que qualquer carranca. Era um rosto tão semelhante ao de nosso amigo que virei-me para ele a fim de me certificar de que realmente estava conosco. Lembrei-me, em seguida, de que ele havia mencionado que ele e o irmão eram gêmeos.

— Que terrível — disse eu a Holmes. — Que fazer agora?

— Temos que arrombar a porta — respondeu ele e, chocando-se contra ela, pôs toda sua força sobre a fechadura.

A porta rangeu, mas não cedeu. Juntos, nós nos lançamos contra ela e, dessa vez, escancarou-se com um estrondo súbito e nos vimos dentro do quarto de Bartholomew Sholto.

O cômodo parecia estar equipado como um laboratório químico. Uma fileira dupla de frascos com tampas de vidro se estendia na parede oposta à porta e a mesa estava repleta de bicos de Bunsen, tubos de ensaio e retortas. Nos cantos, havia garrafões de ácido revestidos de um trançado de palha. Um deles parecia estar vazando, ou ter se quebrado, pois dele escorria um fio de líquido escuro, e o ar estava impregnado por um odor particularmente pungente, como de alcatrão. De um lado do cômodo, havia uma escada de mão, em meio a um monte de ripas e estuque, e, acima dela, via-se uma abertura no teto, grande o suficiente para dar passagem a um homem. Ao pé da escada, uma corda comprida estava jogada descuidadamente.

Junto à mesa, em uma poltrona, o dono da casa estava sentado de forma desmantelada, a cabeça afundada no ombro esquerdo e aquele sorriso horripilante e indecifrável no rosto. Estava rígido e frio, e evidentemente morrera muitas horas antes. Pareceu-me que não só seus traços, mas todos os membros estavam contorcidos de modo estranho. Sobre a mesa, ao lado de sua mão, havia um instrumento peculiar: um bastão sólido marrom com ranhuras e uma cabeça de pedra, parecida com a de um martelo, rudemente amarrada com um cordão grosseiro. Ao lado dele estava uma folha rasgada de uma caderneta de anotações na qual havia algumas palavras rabiscadas. Holmes correu os olhos por ela e entregou-a a mim.

— Veja — disse ele, arqueando as sobrancelhas de modo expressivo.

À luz da lamparina, li com um arrepio de horror: "O signo dos quatro".

— Por Deus, o que significa tudo isso? — perguntei.

— Significa assassinato — respondeu ele, curvando-se acima do morto. — Ah! Eu esperava isso. Olhe aqui!

Ele apontou ao que parecia um espinho comprido e escuro cravado no pele do morto, pouco acima da orelha.

— Parece um espinho — constatei.

— E é um espinho mesmo. Pode arrancá-lo. Mas tome cuidado, pois contém veneno.

Segurei-o entre o indicador e o polegar. Saiu da pele com tanta facilidade que quase nem deixou marca. Um ínfimo pontinho de sangue surgiu no local da perfuração.

— Isso tudo é um mistério insolúvel para mim — disse eu. — Está ficando cada vez mais obscuro, em lugar de mais claro.

— Pelo contrário — contestou Holmes. — Fica mais claro a cada instante. Preciso apenas de alguns elos perdidos para ter um caso inteiramente coerente.

Quase nos esquecêramos da presença de nosso companheiro desde que tínhamos entrado no aposento. Ele continuava no limiar da porta, a própria personificação do terror, torcendo as mãos e gemendo baixinho. Contudo, subitamente soltou um grito agudo e lamurioso.

— O tesouro desapareceu! — exclamou ele. — Roubaram o tesouro! Ali está o buraco pelo qual o tiramos. Eu mesmo o ajudei a fazer isso! Fui a última pessoa que o viu! Deixei-o aqui, ontem à noite, ouvi-o trancar a porta enquanto eu descia as escadas.

— Que horas eram?

— Dez da noite. E agora ele está morto, e a polícia será chamada, e eu serei suspeito de ter participação nisso. Ah, estou certo disso. Mas os senhores não pensam assim, não é, cavalheiros? Com certeza não pensam que fui eu! Se tivesse sido, por que eu os teria trazido aqui? Ah, meu Deus! Ah, meu Deus! Sei que vou enlouquecer!

Começou a sacudir os braços e a bater os pés em uma espécie de crise convulsiva.

— Não há motivo algum para temer, Sr. Sholto — disse Holmes, afavelmente, pondo a mão em seu ombro. — Ouça meu conselho e siga até a delegacia de polícia para comunicar os fatos. Ofereça-se para ajudá-los em tudo. Ficaremos esperando aqui até que volte.

O homenzinho obedeceu, perplexo, e nós o ouvimos cambaleando escada abaixo às escuras.

CAPÍTULO VI

Sherlock Holmes faz uma demonstração

— Agora, Watson — disse Holmes, esfregando as mãos —, temos meia hora para nós. Vamos aproveitá-la. O caso, conforme já lhe disse, está quase completo, mas não devemos pecar pelo excesso de confiança. Por mais simples que pareça agora, pode esconder algo mais profundo.
— Simples! — exclamei.
— Sem dúvida — retrucou, parecendo um professor a expor um caso clínico para seus alunos. — Apenas sente-se ali naquele canto para que suas pegadas não compliquem a questão. Agora, mãos à obra! Em primeiro lugar, como essas pessoas entraram e como saíram? A porta permaneceu fechada desde a noite de ontem. E quanto à janela?

Ele seguiu até lá com a lamparina, murmurando suas observações, mas dirigindo-se a si mesmo, não a mim.

— A janela está aferrolhada por dentro. A moldura é sólida. Não há dobradiças laterais. Vamos abri-la. Nenhum encanamento próximo. Telhado totalmente fora de alcance. No entanto, um homem entrou pela janela. Choveu um pouco ontem à noite. Aqui está a marca de uma pegada com barro sobre o peitoril. E aqui está uma marca lamacenta circular, e outra aqui no piso, e mais uma ali, perto da mesa. Veja aqui, Watson! Esta é realmente uma ótima prova.

Fitei os discos redondos e delimitados pela lama.
— Isso não é uma pegada — observei.
— É algo bem mais valioso para nós. É a impressão de uma perna de pau. Pode ver aqui, no peitoril, a marca da bota, uma bota pesada com um largo salto metálico e, ao lado, a marca da ponta de madeira.

— É o homem da perna de pau.

— Exatamente. Mas outra pessoa esteve aqui... um aliado muito hábil e eficiente. Seria capaz de escalar aquela parede, Doutor? Espiei para o lado de fora da janela aberta. A lua ainda brilhava intensamente naquele lado do casarão. Estávamos a quase vinte metros do chão e, para onde quer que eu olhasse, não conseguia ver nenhum apoio para os pés, nem ao menos uma fenda na parede de tijolo.

— É absolutamente impossível — respondi.

— Sem auxílio, é mesmo. Mas suponha que você tivesse um amigo aqui em cima que lhe estendesse aquela corda boa e resistente que vejo ali no canto, amarrando uma ponta dela àquele enorme gancho na parede. Dessa forma, creio que se você fosse um homem ágil, conseguiria subir, com perna de pau e tudo. Certamente sairia da mesma maneira, e seu cúmplice recolheria a corda e, desamarrando-a do gancho, fecharia a janela, passaria o ferrolho por dentro e se safaria da maneira como havia entrado. Com um pequeno pormenor, podemos observar — prosseguiu ele, manuseando a corda — que nosso amigo da perna de pau, apesar de bom de escalada, não é um marinheiro profissional. Suas mãos estão longe de ser calejadas. Minha lente revela mais de uma marca de sangue, especialmente perto da extremidade da corda, e com isso deduzo que ele escorregou com tal velocidade que arrancou a pele das mãos.

— Tudo isso está muito bem — disse eu —, mas a coisa fica mais ininteligível do que antes. E esse cúmplice misterioso? Como ele adentrou o quarto?

— Sim, o cúmplice! — repetiu Holmes, pensativo. — Há aspectos interessantes ligados a ele. É ele que tira o caso da trivialidade. Imagino que esse cúmplice esteja desbravando um terreno novo nos anais do crime da Inglaterra... embora casos paralelos da Índia se façam lembrar e, se não me falha a memória, da Senegâmbia.

— Mas como ele entrou? — repeti. — A porta está trancada. A janela é inacessível. Poderia ter sido pela chaminé?

— A abertura da lareira é pequena demais — respondeu ele. — Já considerei essa possibilidade.

— Então, como foi? — persisti.

— Você não está colocando o meu preceito em prática — disse ele, meneando a cabeça. — Quantas vezes eu já lhe disse que, depois de eliminarmos o impossível, o que resta, *por mais improvável que seja*, deve ser a verdade? Sabemos que ele não entrou pela porta, nem pela janela, nem pela chaminé. Também sabemos que não poderia estar escondido no quarto, pois não há esconderijo possível. Portanto, como foi que ele entrou?

— Pelo buraco no teto! — exclamei.

— Precisamente. Deve ter vindo dali. Se você fizer a gentileza de segurar a lamparina para mim, estenderemos nossas investigações ao cômodo acima, o quarto secreto onde o tesouro foi encontrado.

Ele subiu os degraus e, agarrando um mastro com as duas mãos, içou-se para o sótão. Depois, deitando-se de bruços, estendeu a mão para pegar a lamparina e segurou-a enquanto eu subia atrás dele.

O cômodo que adentramos tinha cerca de três metros por dois. O piso era formado por vigas de ripas finas, entremeadas de estuque, de modo que era preciso andar de uma trave para outra. O teto se erguia até um vértice e o verdadeiro telhado da casa ficava à vista. Não havia uma mobília sequer e anos de poeira haviam se acumulado sobre o piso.

— Veja, aqui está — disse Sherlock Holmes, apoiando a mão na parede inclinada. — Isto é um alçapão que dá para o telhado. Posso empurrá-lo, e aqui está o telhado, inclinando-se ligeiramente em ângulo. Portanto, foi por esse caminho que o Número Um entrou. Agora, vamos ver se conseguimos encontrar outros sinais que sejam específicos dele?

Baixou a lamparina em direção ao piso e, quando o fez, vi, pela segunda vez naquela noite, uma expressão espantada lhe invadir o rosto. Quanto a mim, quando acompanhei seu olhar, senti o sangue enregelar. O piso estava coberto de pegadas de um pé descalço, eram marcas nítidas, bem definidas, perfeitamente formadas, mas mal chegavam à metade do tamanho dos pés de um homem comum.

— Holmes — sussurrei —, foi uma criança que cometeu esse crime horrendo.

Em um instante ele havia se recomposto.

— Fiquei atônito por um momento — disse ele. — Mas a coisa é bastante natural. Minha memória falhou, ou eu teria sido capaz de prever isso. Não há mais nada a descobrir aqui. Vamos descer.

— Então, qual é a sua teoria quanto àquelas pegadas? — perguntei, aflito, quando estávamos de volta ao aposento abaixo.

— Meu caro Watson, tente analisar um pouco você mesmo — disse ele, com um quê de impaciência. — Conhece meus métodos. Aplique-os e será instrutivo compararmos os resultados.

— Não consigo conceber coisa alguma que condiz com os fatos — respondi.

— Logo tudo ficará bastante claro para você — disse ele com um tom brusco. — Acredito que não há mais nada importante neste lugar, mas vou averiguar.

Sacou a lupa e uma fita métrica e esquadrinhou o cômodo rapidamente, de joelhos, medindo, comparando, examinando, o nariz comprido e fino a poucos centímetros do piso e os olhos redondos, fundos como os de uma ave de rapina, cintilando. Tão velozes, silenciosos e furtivos eram seus movimentos, parecidos com um cão de caça treinado a farejar uma pista, que não pude deixar de pensar que criminoso terrível ele teria sido se tivesse direcionado sua energia e sagacidade contra a lei, em vez de aplicá-las em defesa dela. Absorto em sua caçada, murmurava incessantemente consigo mesmo, até que, enfim, emitiu um grito sonoro de satisfação.

— Certamente estamos com sorte — disse ele. — Já não teremos muito trabalho daqui em diante. O Número Um teve o azar de pisar no creosoto. É possível ver o contorno de seu pezinho aqui, ao lado dessa lambança malcheirosa. Vê-se que o garrafão rachou e o líquido escorreu.

— E daí? — perguntei.

— Ora, nós já o apanhamos, só isso — disse ele. — Conheço um cão que seria capaz de seguir esse cheiro até o fim do mundo. Se uma matilha consegue rastrear um arenque arrastado através de um condado, o que faria um cão especialmente treinado no rastro de um cheiro tão pungente quanto esse? Tudo começa a parecer um mero problema de regra de três. A resposta deve nos indicar o... Mas, escute só! Aí vêm os representantes autorizados da lei.

Passos pesados e o vozerio ecoavam do térreo, e a porta do vestíbulo bateu com força.

— Antes que eles cheguem — disse Holmes —, ponha sua mão aqui no braço e na perna desse pobre sujeito. Que sente?

— Os músculos estão rijos como pedra — respondi.

— Exatamente. Encontram-se em estado de extrema contração, ultrapassando em muito o *rigor mortis* habitual. Isso, somado a essa distorção da face, esse sorriso hipocrático, ou *"risus sardonicus"*, como os antigos autores o chamavam, que conclusão isso lhe instigaria?

— Morte provocada por algum poderoso alcaloide vegetal — respondi. — Alguma substância semelhante à estricnina que produz o tétano.

— Foi isso que me ocorreu no instante em que vi os músculos contraído do rosto. Ao entrar no quarto, logo procurei o meio pelo qual o veneno havia adentrado o sistema. Como viu, encontrei um espinho fincado ou lançado sem muita força no couro cabeludo. Observe que a parte alvejada foi precisamente aquela que estaria voltada para o buraco do teto, se o homem estivesse empertigado em sua cadeira. Agora examine este espinho.

Peguei-o cautelosamente e o ergui contra a luz da lamparina. Era comprido, pontudo e preto, com um aspecto vítreo perto da ponta, como se nela alguma substância gomosa tivesse se secado. A outra extremidade havia sido aparada e arredondada com uma faca.

— Esse é um espinho inglês? — perguntou ele.

— Não, definitivamente que não.

— Com todas essas informações, você seria capaz de fazer uma dedução acertada. Mas como as forças regulares chegaram, as auxiliares devem se retirar.

Enquanto ele falava, os passos que se aproximavam pelo corredor ressoaram em volume alto e um homem corpulento e lauto, trajando um terno cinza, adentrou o quarto. Tinha o rosto vermelho, era pesadão e pletórico, com olhos bem miúdos, piscantes, que perscrutavam por entre as pálpebras vultuosas. Era acompanhado de perto por um inspetor fardado e pelo ainda ofegante Thaddeus Sholto.

— Aqui tem coisa! — exclamou ele com uma voz rouca e abafada. — Eis que temos algo aqui! Mas quem são essas pessoas? Ora, a casa mais parece um ninho de coelhos!

— Creio que deva se lembrar de mim, Sr. Athelney Jones — disse Holmes, tranquilamente.

— Ora, mas é claro que me lembro — disse ele, ofegante. — É o Sr. Sherlock Holmes, o teórico. Lembrar-me de você! Jamais me esquecerei da aula que deu a todos nós a respeito de causas, deduções e efeitos no caso das joias de Bishopgate. É verdade que nos colocou na pista correta, mas deve confessar agora que aquilo foi mais um golpe de sorte que qualquer outra coisa.

— Não passou de um raciocínio demasiadamente simples.

— Ora, essa! Não tenha vergonha de confessar. Mas o que é isso aqui? Um caso complicado! Complicadíssimo! Mas vamos aos fatos... Aqui não há lugar para teorias. Por sorte que eu estava em Norwood, dedicando-me a um outro caso! Eu estava no distrito policial quando a mensagem chegou. Do que acha que o homem morreu?

— Oh, certamente este não é um caso em que eu possa exprimir teorias — respondeu Holmes de forma irônica.

— Definitivamente não. No entanto, não há como negar que vez ou outra você acerta em cheio. Meu Deus! Porta trancada, fiquei sabendo. Joias desaparecidas no valor de meio milhão. Como estava a janela?

— Trancada por dentro, mas há pegadas no peitoril.

— Ora, ora, se estava trancada, as pegadas nada têm a ver com o assunto. É uma questão de bom senso. O homem poderia ter morrido de um ataque. Contudo, as joias desapareceram. Ah! Tenho uma teoria. Vez ou outra sou acometido por esses lampejos. Vá para o corredor, sargento. Vá com ele, Sr. Sholto. Seu amigo pode ficar. Que acha disso, Holmes? Sholto, segundo ele próprio confessou, esteve com o irmão na noite passada. O irmão morreu de um ataque, em seguida, Sholto deu no pé com o tesouro. Que tal?

— E depois disso o morto, muito atencioso, levanta-se e tranca a porta por dentro.

— Hum! Há uma falha nisso aí. Então vamos aplicar senso comum à questão. Esse Thaddeus Sholto *esteve* com o irmão e de fato *houve* uma altercação: isso nós sabemos. O irmão está morto e as joias desapareceram. Disso também sabemos. Ninguém viu o irmão desde o momento em que Thaddeus o deixou. Sua cama está do jeito que foi deixada. Thaddeus evidentemente se encontra em um estado de extrema perturbação mental. Sua aparência é... bem, nem um pouco atraente. Perceba que estou tecendo a minha trama ao redor de Thaddeus. O cerco começa a se fechar sobre ele.

— O senhor ainda não tem todos os fatos — disse Holmes. — Esta farpa de madeira, que tenho motivos para crer que está envenenada, encontrava-se fincada no couro cabeludo do homem bem ali, onde se vê a marca. Este papel, rabiscado como vê, estava na mesa, e ao lado dele estava este curiosíssimo instrumento de cabeça pedra. Como tudo isso se adequa à sua teoria?

— Vem a confirmá-la em todos os aspectos — respondeu pomposamente o detetive gordo. — A casa está cheia de curiosidades indianas. Thaddeus trouxe isso até aqui, e se essa farpa de madeira está envenenada, ele pode ter feito, como qualquer outro homem, uso dela para cometer o crime. O papel é um embuste qualquer, uma simulação, muito provavelmente. A única questão é: por onde ele saiu? Ah, naturalmente, ali está um buraco no teto.

De forma bastante ágil, ao levar-se em conta seu porte corpulento, o investigador subiu a escada e espremeu-se para entrar no sótão. Logo depois, nós ouvimos sua voz exultante proclamando ter encontrado o alçapão.

— Pode ser que ele descubra alguma coisa — disse Holmes, encolhendo os ombros. — Tem lampejos esporádicos de lucidez. *Il n'y de sots si incommodes que ceux qui ont de l'esprit!*[3]

— Está vendo? — disse Athelney Jones, descendo os degraus.

— Fatos são melhores que teorias, afinal de contas. Minha opinião a respeito do caso está confirmada. Há um alçapão que desemboca no telhado e está semiaberto.

— Fui eu que o abri.

— Ah, foi mesmo? Então, você o viu? — Ele pareceu ligeiramente desapontado ao saber disso. — Bem, quem quer que o tenha visto, ele mostra como nosso homem escapou. Inspetor!

— Sim, senhor — respondeu uma voz no corredor.

— Peça ao Sr. Sholto que entre... Sr. Sholto, devo informá-lo de que tudo que disser poderá ser usado contra você. Eu o prendo, em nome da rainha, por envolvimento na morte de seu irmão.

— Viram só? Eu não lhes disse? — gritou o homenzinho, erguendo as mãos e desviando o olhar entre nós.

— Não se preocupe com isso, Sr. Sholto — disse Holmes. — Creio que posso livrá-lo da acusação.

— Não prometa em demasia, Sr. Teórico, não prometa em demasia! — retrucou o detetive em tom áspero. — Isso pode ser mais difícil do que pensa.

— Não apenas o livrarei da acusação, Sr. Jones, como ainda vou lhe presentear com o nome e a descrição de uma das duas pessoas que estiveram neste cômodo ontem à noite. Tenho todos os motivos para acreditar que ele se chama Jonathan Small. É um homem de pouca instrução, baixo, ágil, com a perna direita amputada e, por conta disso, usa uma perna de madeira que está gasta do lado interno. Sua bota esquerda tem um solado grosseiro, de ponta quadrada, e tem uma faixa de ferro contornando o salto. Já é um homem de certa idade, muito queimado de sol, e cumpriu pena na prisão. Essas poucas indicações

---

3. Em tradução livre: "Não existem tolos mais incômodos do que aqueles que têm espírito."

podem lhe servir de alguma coisa, assim como o fato de que falta um bom pedaço de pele na palma de sua mão. O outro homem...

— Ah! O outro homem? — perguntou Athelney Jones em tom debochado, ainda que impressionado, como vi facilmente, pela precisão do meu companheiro.

— É uma pessoa bastante curiosa — disse Sherlock Holmes, girando sobre os calcanhares. — Espero que possa apresentar ambos a você em pouco tempo. Podemos trocar uma palavra, Watson?

Levou-me ao topo da escada.

— Essa ocorrência inesperada — disse ele — quase fez com que perdêssemos de vista o objetivo original de nossa viagem.

— Eu estava pensando justamente nisso — respondi. — Não convém que a Srta. Morstan permaneça nesta casa infortunada.

— Não. Você deve acompanhá-la a casa. Ela mora com a Sra. Cecil Forrester, em Lower Camberwell, portanto, não é tão distante. Fico o esperando aqui, se quiser voltar. Ou talvez esteja muito cansado?

— De forma alguma. Acho que não seria capaz de descansar até saber mais sobre esse caso fantástico. Já tive relances do lado brutal da vida, mas dou-lhe minha palavra de que essa rápida sucessão de estranhas surpresas desta noite abalou-me completamente os nervos. Ainda assim, gostaria de acompanhar o caso até o fim com você, agora que já fui tão longe.

— Para mim, a sua presença será de grande utilidade — respondeu ele. — Devemos trabalhar no caso por conta própria e deixaremos Jones vibrar com qualquer descoberta ilusória que venha a fazer. Depois que tiver deixado a Srta. Morstan em casa, eu quero que vá até a Pinchin Lane, nº 3, perto da margem do rio, em Lambeth. Na terceira casa do lado direito reside um empalhador de aves chamado Sherman. Você verá uma doninha segurando um filhote de coelho na vitrine. Acorde o velho Sherman e diga-lhe, com meus cumprimentos, que preciso de Toby imediatamente. Traga Toby junto na carruagem.

— É um cão, eu suponho.

— Sim, um curioso cão mestiço que possui um faro extraordinário. Prefiro ser auxiliado por Toby a receber ajuda de todo o corpo de detetives de Londres.

— Então trago-o comigo — disse eu. — Agora é uma hora. Devo estar de volta antes das três, se conseguir um cavalo descansado.

— E eu — disse Holmes — verei o que posso descobrir com Sra. Bernstone e o criado indiano que, segundo me diz o Sr. Thaddeus, dorme no sótão vizinho. Depois estudarei os métodos do grande Jones e ouvirei seus sarcasmos não muito sutis. *Wir sind gewohnt das die Menschen verhöhnen was sie nicht verstehen.*[4] Goethe é sempre expressivo.

---

4. Em tradução livre: "É comum ver os homens menosprezarem aquilo que não são capazes de compreender."

CAPÍTULO VII

O episódio do barril

Os policiais haviam trazido um cabriolé consigo, e foi nele que acompanhei a Srta. Morstan até sua casa. Com o jeito angelical das mulheres, ela enfrentara os percalços com um rosto sereno enquanto havia alguém mais fraco a amparar, de modo que eu a encontrei tranquila e calma ao lado da governanta amedrontada. No cabriolé, porém, primeiro desmaiou e depois rompeu em uma crise de choro, tão duramente tinha sido afetada pelas aventuras da noite. Contou-me, depois, que nessa jornada achou-me frio e distante. Mal poderia imaginar a luta dentro de meu peito, ou o esforço que eu empreendia para me conter. Minha compaixão e meu amor a buscavam, como minha mão buscara a sua no jardim. Parecia-me que longos anos de uma vida convencional não poderiam me ensinar a conhecer melhor sua doce e destemida natureza como fizera aquele único dia de estranhas experiências. No entanto, dois pensamentos selavam as palavras de afeição em meus lábios. Ela estava fraca e desamparada, com a mente e os nervos abalados. Seria desleal impor-lhe amor em um momento como aquele. Ainda pior, ela era rica. Se Holmes fosse bem-sucedido em suas investigações, ela seria uma herdeira. Era justo, era decente, que um médico cirurgião mal pago se aproveitasse de uma intimidade provocada por mero acaso? Não seria possível que ela me visse com um caça-dotes ordinário? Não estava disposto a correr o risco de que tal ideia lhe passasse pela cabeça. Aquele tesouro de Agra se interpunha entre nós como uma barreira intransponível.

Eram quase duas horas quando chegamos à casa da Sra. Cecil Forrester. Os criados haviam se recolhido muitas horas antes, mas a Sra. Forrester ficara tão interessada na estranha mensagem que a Srta. Morstan recebera que ainda estava acordada aguardando seu regresso. Foi ela quem abriu a porta, uma esbelta mulher de meia-idade, e fiquei satisfeito de ver com que ternura seu braço enlaçou a cintura da outra, e como era maternal seu tom ao cumprimentá-la. Era evidente que a Srta. Morstan não era uma mera governanta, mas uma amiga muito estimada. Fui apresentado e a Sra. Forrester insistiu para que eu entrasse e lhe contasse nossas aventuras. Expliquei, no entanto, a importância de minha incumbência e prometi que voltaria para contar-lhe qualquer progresso que viéssemos a ter no caso. Quando o cabriolé pôs-se em movimento, olhei para trás e até hoje tenho a impressão de ver aquela cena que acontecia no topo da escada: as duas figuras graciosas enlaçadas, a porta entreaberta, a luz do vestíbulo penetrando através do vitral, o barômetro e os lustrosos varões da passadeira. Era acalentador observar, ainda que de relance, a tranquilidade de um pacato lar inglês em meio àquele caso tormentoso e soturno que nos absorvera.

E quanto mais eu pensava no ocorrido, mais tormentoso e soturno tudo aquilo me parecia. Revi toda a extraordinária série de fatos enquanto o cabriolé sacudia pelas ruas silenciosas e iluminadas por lampiões a gás. Havia o problema original: esse pelo menos estava bastante claro agora. A morte do capitão Morstan, o envio das pérolas, o anúncio, a carta... todos nos tinham sido esclarecidos. No entanto, eles haviam nos guiado para um mistério ainda mais profundo e muito mais trágico. O tesouro indiano, a curiosa planta encontrada em meio à bagagem de Morstan, a estranha cena que ocorrera na morte do major Sholto, a redescoberta do tesouro imediatamente seguida pelo assassinato do descobridor, as próprias circunstâncias tão ímpares do crime, as pegadas, as armas excepcionais, as palavras rabiscadas no papel, iguais àquelas presentes na planta do capitão Morstan... Era de fato um labirinto do qual um homem menos singularmente dotado que meu companheiro de apartamento por certo se desesperaria ao tentar sair.

Pinchin Lane era uma fileira de sórdidos sobrados de tijolo na parte baixa de Lambeth. Tive de bater durante algum tempo no número 3 até que alguém aparecesse. Enfim, vi o lampejo de uma vela por trás da persiana e um rosto surgiu na janela do alto.

— Vá embora, seu bêbado vagabundo — disse o rosto. — Se fizer mais arruaça eu vou abrir os canis e mandar quarenta e três cães atrás de você.

— Se quiser soltar só um, foi justamente por isso que eu vim buscar — respondi.

— Dê o fora! — gritou a voz. — Que Deus me ajude, tem uma víbora neste saco, e vou arremessá-la na sua cabeça se não der o fora daqui.

— Mas eu quero um cão! — exclamei.

— Não discuta comigo! — gritou o Sr. Sherman. — Agora saia já daqui, pois quando eu disser "três", lá vai a víbora.

— O Sr. Sherlock Holmes... — comecei, mas as palavras tiveram um efeito mágico, porque a janela se fechou de imediato e depois de um minuto a porta estava destrancada e aberta. O Sr. Sherman era um velho alto e esguio, de ombros caídos, pescoço fino e óculos de lentes azuladas.

— Um amigo do Sr. Sherlock é sempre bem-vindo — disse ele.
— Entre, senhor. Tome cuidado com o texugo, pois ele morde. Ah, danadinho, danadinho! Quer dar uma mordidela no cavalheiro? — disse ele para um arminho de olhos vermelhos que metera o focinho perverso por entre as grades da gaiola. — Não liguei para ele, senhor. É só um licranço. Já não tem mais as presas, por isso eu o deixo solto na sala para dar um jeito nos besouros. Não se ressinta por eu ter inicialmente sido um pouco rude com o senhor; acontece que as crianças zombam de mim, e muitas vêm a esta rua só para me acordar. Que é que o Sr. Sherlock Holmes quer, senhor?

— Ele quer um de seus cachorros.
— Ah! Deve ser o Toby.

— Sim, Toby foi o nome que ele disse a mim.

— O Toby mora no número 7, à esquerda, aqui.

Avançou lentamente com a vela por entre a estranha família de animais que reunira ao seu redor. À luz tênue e irregular, eu distinguia vagamente olhos oblíquos e reluzentes que nos espiavam de todas as fendas e cantos. Até as ripas do telhado acima de nós estavam repletas de aves solenes, que mudavam o peso de um pé para o outro de forma preguiçosa quando nossas vozes perturbavam seu cochilo.

Toby se revelou um animal feio, de pelo comprido, orelhas caídas, metade sabujo, metade perdigueiro, marrom e branco, com um andar bamboleante e desairoso. Após alguma hesitação, ele aceitou um torrão de açúcar que o velho naturalista me entregara e, selando dessa forma nossa aliança, seguiu-me até o cabriolé, sem criar dificuldades em me fazer companhia. Acabavam de soar três horas no carrilhão do Palácio quando retornei a Pondicherry Lodge. O ex-pugilista McMurdo, logo fiquei sabendo, fora preso como cúmplice, e tanto ele quanto o Sr. Sholto haviam sido levados para a delegacia. Dois guardas vigiavam o portão estreito, mas deixaram-me passar com o cão quando mencionei o nome do detetive.

Holmes estava de pé na soleira da porta, as mãos enfiadas nos bolsos, fumando seu cachimbo.

— Ah, você o trouxe! — exclamou ele. — Que ótimo cão! Athelney Jones já partiu. Tivemos uma grandiosa demonstração de energia desde que você saiu. Ele prendeu não apenas nosso amigo Thaddeus, como o porteiro, a governanta e o criado indiano. A casa é toda nossa, com exceção de um sargento lá em cima. Deixe o cão aqui e suba comigo.

Amarramos Toby à mesa do vestíbulo e subimos as escadas novamente. O cômodo estava do jeito que o havíamos deixado, exceto por um lençol que agora cobria a figura central. Um sargento da polícia com aparência exausta estava reclinado em um canto.

— Empreste-me sua lanterna, sargento — disse meu companheiro. — Agora amarre esse pedaço de cordão em volta do meu pescoço, para que fique pendurado à minha frente. Obrigado. Agora tenho que tirar as botas e meias. Pode levá-las lá para baixo, Watson? Farei uma pequena escalada. E mergulhe meu lenço no creosoto. Assim mesmo. Agora suba ao sótão comigo por um instante.

Passamos pelo buraco do teto. Holmes novamente mirou o facho de luz às pegadas na poeira.

— Repare bem nessas pegadas — disse ele. — Nota algo especial nelas?

— São de uma criança, ou de uma mulher miúda — respondi.

— Mas, fora o tamanho, não vê mais nada?

— Parecem pegadas como quaisquer outras.

— De jeito nenhum. Olhe só! Esta é a pegada de um pé direito, aqui na poeira. Agora, eu faço uma com o pé descalço ao lado dela. Qual é a diferença?

— Os seus dedos estão todos juntos. Na outra pegada, cada dedo está claramente separado.

— Exatamente isso. Esse é o ponto. Tenha isso em mente. Agora, poderia fazer a gentileza de ir até aquele alçapão e cheirar a o quadro da madeira? Ficarei aqui, pois estou segurando esse lenço.

Fiz o que ele pediu e imediatamente senti o cheiro forte de alcatrão.

— Foi aí que ele pisou ao sair. Se até *você* consegue rastreá-lo, acho que Toby não terá dificuldade alguma. Agora, corra até o andar térreo, solte o cão e espere pelo Blondin.[5]

Quando cheguei ao jardim, Sherlock Holmes já estava no telhado, assemelhando-se a um enorme vaga-lume engatinhando devagar pela borda. Perdi-o de vista atrás de um conjunto de chaminés, mas um instante depois ele reapareceu e depois sumiu de novo, do lado oposto. Quando contornei a casa, encontrei-o sentado em um dos beirais.

— É você, Watson? — gritou ele.

— Sim.

— Esse é o lugar. O que é essa coisa preta aí embaixo?

— Um barril de água.

---

5. Referência a Charles Blondin, um equilibrista de corda e acrobata de circo francês. Sherlock Holmes chama a si mesmo de Blondin, pois está prestes a andar sobre o telhado.

— Tem tampa?
— Tem.
— Nenhum sinal de escada?
— Não.
— Raios que o partam! Esse é um lugar extremamente perigoso. Era para eu conseguir descer por onde ele subiu. O cano d'água parece bem firme. De qualquer forma, lá vou eu.

Ouvi o som de passos arrastados e o foco da lanterna começou lentamente a descer pela parede de forma uniforme. Depois, ele deu um pequeno salto sobre o barril e em seguida fincou os pés no chão.

— Foi fácil segui-lo — disse ele, calçando as meias e as botas.
— As telhas estavam frouxas ao longo do caminho e, na pressa, ele deixou isso cair. É algo que confirma meu diagnóstico, como vocês, médicos, costumam dizer.

O objeto que ele estendia a mim era uma bolsinha tecida de palhas coloridas, bordada com miçangas vistosas. No formato e tamanho era bem semelhante a uma cigarreira. Dentro havia meia dúzia de espinhos de madeira escura, afiados em uma extremidade e arredondados na outra, como aquele que alvejara Bartholomew Sholto.

— São diabólicos — disse Holmes. — Cuidado para não se espetar. Estou contentíssimo em tê-los comigo, pois provavelmente são os únicos que ele possuía. Há menos temor de você ou eu encontrarmos um desses fincado em nossa pele em breve. Eu preferiria enfrentar uma bala de Martini. Está disposto para uma caminhada de uns dez quilômetros, Watson?

— Certamente — respondi.
— Sua perna vai suportar?
— Ah, sim.
— Aí está você, cãozinho! Meu velho Toby! Cheire isto, Toby, cheire isto.

Posicionou o lenço embebido em creosoto em frente ao focinho do cão, que abria as patas peludas e empinava a cabeça comicamente, como um *connaisseur* inalando o *bouquet* de um vinho de safra famosa. Então, Holmes arremessou o lenço, amarrou uma corda grossa no pescoço do cão mestiço e o guiou para junto do barril de água. O animal logo começou a emitir uma porção de ganidos agudos e trêmulos e, com o focinho no chão e o rabo empinado, lançou-se em direção ao rastro tão depressa que esticou a corda e nos pôs a correr o mais rápido que podíamos.

Começava lentamente a clarear no leste, e agora conseguíamos enxergar a alguma distância, sob a luz fria e cinzenta. O casarão quadrado, sólido, com suas janelas escuras vazias e paredes altas e desnudas, erguia-se triste e abandonado atrás de nós. Nosso caminho nos conduziu diretamente pelo terreno, em meio às trincheiras e poços que o marcavam e cruzavam. O local inteiro, com seus montinhos de terra espalhados e arbustos frágeis, tinha um aspecto sinistro, agourento, compatível com a tragédia aterradora que pairava sobre ele.

Ao chegar ao muro divisor, Toby começou a correr ao longo de sua sombra, ganindo ansiosamente. Por fim, estancou em um canto encoberto por um broto de faia. No local onde os dois muros se encontravam, vários tijolos haviam sido arrancados e as fendas restantes estavam gastas e arredondadas na parte inferior, como se frequentemente fossem utilizadas como escada. Holmes subiu e, tomando o cão de mim, jogou-o do outro lado.

— Aqui está a marca da mão do perna de pau — observou ele quando subi o muro e postei-me ao seu lado. — Veja aquela leve mancha de sangue no estuque branco. Ainda bem que não caiu nenhuma chuva pesada desde ontem! O rastro permanecerá na estrada, apesar das vinte e oito horas que tiveram de vantagem.

Confesso que eu mesmo tive minhas dúvidas quando pensei no intenso tráfego londrino que tivera lugar na estrada. Mas meus temores logo se acalmaram. Toby não hesitava, nem desviava em momento algum, seguindo com seu gingado peculiar. Claramente, o odor pungente do creosoto se destacava muito em relação a outros cheiros.

— Não pense — disse Holmes — que meu sucesso nesse caso dependa do mero acidente de um desses sujeitos ter pisado no produto químico. Já conheço elementos suficientes que me permitiriam rastreá-los de muitas maneiras distintas. Esta, no entanto, é a mais prática e, como a sorte a colocou em nossas mãos, seria censurável que a desprezasse. Contudo, ela impediu que o caso se transformasse no lindo problema intelectual que prometia ser, em determinado momento. Não fosse essa pista excessivamente palpável, haveria algum mérito em solucioná-lo.

— Mas há mérito de sobra — disse eu. – Garanto-lhe, Holmes, que estou maravilhado com as formas que empregou para obter seus resultados nesse caso, mais ainda do que fiquei no crime de Jefferson Hope. Algo que me parece mais profundo e inexplicável. Como, por exemplo, foi capaz de descrever o homem da perna de pau com tanta precisão?

— Ora, meu caro rapaz! É tudo tão simples. Não quero ser teatral. É tudo óbvio e sem subterfúgios. Dois oficiais que estão no comando da guarda de um presídio ficam sabendo de um importante segredo relativo a um tesouro enterrado. Um inglês chamado Jonathan Small desenha um mapa para eles. Recorde-se de que vimos esse nome no mapa que estava em posse do capitão Morstan. Ele o assinara em seu próprio nome e no de seus associados, o signo dos quatro, como chamou aquilo com um quê de dramaticidade. Auxiliados por esse mapa, os oficiais, ou um deles, encontram o tesouro e o trazem para a Inglaterra, deixando, supostamente, em aberto, alguma condição sob a qual recebeu o tesouro. Ora, sendo assim, por que Jonathan Small não obteve o tesouro ele mesmo? A resposta é óbvia. O mapa está datado de uma época em que Morstan mantinha estreita relação com prisioneiros. Jonathan Small não apanhou o tesouro porque ele e seus comparsas eram eles próprios prisioneiros, e não tinham como sair de onde estavam.

— Mas isso é pura conjectura — disse eu.
— Vai muito além disso. É a única hipótese que explica todos os fatos. Vejamos se ela se encaixa na sequência de acontecimentos. O major Sholto permanece em paz por alguns anos, feliz na posse de seu tesouro. Depois recebe uma carta da Índia que o deixa apavorado. Do que se tratava?

— Uma carta informando que os homens a quem ele ludibriara haviam sido soltos.

— Ou tinham fugido. Essa possibilidade é bem mais provável, pois ele saberia qual era a duração da sentença e não teria ficado surpreso com a notícia. O que ele faz, então? Previne-se contra um homem de perna de pau. É bom frisar que se trata de um homem branco, porque o confunde com um comerciante e chega a alvejá-lo com uma pistola. Ora, no mapa, consta somente um nome de um homem branco. Os outros são hindus ou maometanos. Não há outro homem branco. Sendo assim, podemos dizer com convicção que o homem da perna de pau e Jonathan Small são a mesma pessoa. Esse raciocínio lhe parece falho?

— Não. É claro e conciso.

— Bem, agora vamos nos colocar no lugar de Jonathan Small. Consideremos as coisas sob sua perspectiva. Ele chega à Inglaterra com o duplo intento de reconquistar o que devia julgar seu direito e se vingar do homem que o havia ludibriado. Descobriu onde Sholto morava e, muito provavelmente, estabeleceu contato com alguém de dentro da casa. Há o mordomo, Lal Rao, que não vimos. A Sra. Bernstone não o descreveu como detentor de um bom caráter, longe disso. No entanto, Small não conseguiu descobrir onde o tesouro estava escondido, pois ninguém jamais soube disso, com exceção do major e de um fiel criado já falecido. Subitamente, Small fica sabendo que o major está em seu leito de morte. Agitado, teme que o segredo do tesouro morra com ele. Então, desafia os vigias, vai até a janela do moribundo e só não entra por conta da presença de seus dois filhos. Porém, enfurecido com o morto, naquela noite ele entra no quarto, vasculha sua papelada particular na esperança de descobrir alguma pista relativa ao tesouro e por fim deixa uma lembrança de sua visita no breve escrito rabiscado no pedaço de papel. Sem dúvida, ele havia calculado de antemão que, caso matasse o major, deixaria um manifesto semelhante sobre o corpo assinalando que ele não era um assassino banal, mas, do ponto de vista dos comparsas, característico de um ato de justiça. Ideias caprichosas e esquisitas como essa são muito comuns no meio do crime e geralmente fornecem valiosas indicações a respeito do criminoso. Está acompanhando isso tudo?

— Muito claramente.

— Ora, então o que poderia fazer Jonathan Small? Apenas continuar a manter guarda secreta sobre o empenho dedicado à localização do tesouro. É possível que ele deixe a Inglaterra e só regresse de tempos em tempos. Ocorre, então, a descoberta do sótão, e ele é imediatamente informado sobre ela. Mais uma vez detectamos a presença de algum cúmplice na casa. Jonathan, com sua perna de pau, é inteiramente incapaz de alcançar o quarto alto de Bartholomew Sholto. Entretanto, leva consigo um comparsa bastante curioso, que transpõe essa dificuldade, mas afunda o pé descalço em creosoto, motivo pelo qual entram em cena Toby e quase dez quilômetros de marcha difícil para um oficial com tendão de Aquiles machucado.

— Mas foi o cúmplice, não Jonathan, quem cometeu o crime.

— Precisamente. E para o grande desagrado de Jonathan, a julgar pela maneira como ele bateu o pé por todo lado ao entrar no quarto. Ele não tinha qualquer ressentimento em relação a Bartholomew Sholto e teria preferido que ele tivesse sido simplesmente amarrado e amordaçado. Não queria pôr uma corda em seu pescoço. Mas a circunstância era irremediável: os instintos selvagens de seu companheiro haviam irrompido e o veneno fizera seu efeito. Então, Jonathan Small deixou seu registro, levou a arca com o tesouro até o solo e desapareceu com ele. Essa foi a sequência de fatos até onde consegui decifrá-los. É evidente que, quanto à sua aparência pessoal, ele deve ser de meia-idade e queimado de sol, após cumprir pena em um lugar tão quente como as ilhas Andamão. É fácil calcular sua altura a partir do comprimento de seus passos, e sabemos que tinha barba. Na verdade, esse foi o único ponto que impressionou Thaddeus Sholto quando o viu na janela: o quanto era peludo. Ao que eu saiba, não há mais nada.

— E o comparsa?

— Ah, bem, não há grande mistério nisso. Mas em breve você ficará sabendo de tudo. Que delicioso é o ar matinal! Veja como aquela pequena nuvem flutua como uma pena rosada que se soltou de um gigantesco flamingo. Agora o contorno vermelho do sol empurra o manto nebuloso de Londres. Brilha sobre muitas pessoas, mas nenhuma delas, ouso dizer, está envolvida em uma missão tão estranha quanto a nossa. Como nos sentimos pequenos, com nossas ambições e anseios insignificantes, na presença de grandes forças elementares da natureza! Está bem familiarizado com seu Jean-Paul?

— Razoavelmente. Conheci-o por meio das referências de Carlyle.

— Isso é como acompanhar o córrego até o lago onde se origina. Ele faz uma observação curiosa, porém profunda. É que a maior prova da verdadeira grandeza do homem está em sua percepção de sua própria pequenez. Essa afirmação demonstra uma capacidade de comparação e apreciação que é, em si mesma, uma prova de nobreza. Em Richter há muito em que se pensar. Você não está armado, está?

— Estou com a minha bengala.

— Pode ser que precisemos de algo desse tipo, quando chegarmos ao covil deles. Quanto ao Jonathan, vou deixá-lo para você, mas, se o outro demonstrar que é perigoso, vou eliminá-lo com um tiro.

Ao dizer isso, pegou o revólver e, depois de carregar duas balas no tambor, guardou-o de volta no bolso direito do casaco.

Durante esse tempo, tínhamos seguido Toby por estradas rurais, perfiladas de casas de campo, que conduziam à metrópole. Porém, agora adentrávamos ruas contínuas, onde operários e estivadores já circulavam, e mulheres desgrenhadas abriam a persiana e varriam as entradas das casas. Nas esquinas, as tabernas acabavam de abrir, e homens de aspecto rude surgiam, limpando as barbas nas mangas, depois da bebedeira matinal. Cães esquisitos perambulavam e nos lançavam olhares assustados, mas nosso inimitável Toby não olhava nem à direita, nem à esquerda, seguindo veloz, com o focinho no chão e, vez ou outra, emitindo um ganido ávido que indicava que seguia uma pista promissora.

Já havíamos atravessado Streatham, Brixton, Camberwell, e agora nos encontrávamos em Kennington Lane, tendo atravessado as ruas laterais a leste do Oval. Parecia que os homens que estávamos perseguindo tinham ziguezagueado pelo trajeto, provavelmente no intuito de passar despercebidos. Nunca seguiam pela rua principal se pudessem seguir por uma lateral paralela. No fim de Kennington Lane haviam desviado à esquerda pela Bond Street e a Miles Street. Onde essa última se transformava em Knight's Place, Toby parou e começou a correr para trás e para frente, com uma orelha empinada e outra caída, a personificação da indecisão canina. Logo depois, começou a andar em círculos, gingando e nos lançando olhares vez ou outra, como se pedisse perdão por seu embaraço.

— Que diabos se passa com esse cachorro? — resmungou Holmes.

— Eles certamente não seguiram em um cabriolé, nem partiram em um balão.

— Pode ser que tenham ficado parados aqui por algum tempo — sugeri.

— Ah, ótimo! Ele resolveu andar de novo — disse meu companheiro, aliviado.

De fato o cão resolvera andar, porque depois de farejar os arredores mais uma vez, tomou uma decisão repentinamente e pôs-se a correr com energia e determinação ainda não demonstradas. O rastro parecia estar bem mais forte que antes, pois mal encostara o focinho no chão e já puxava a corda com força, na tentativa de sair correndo. Pelo brilho nos olhos de Holmes, eu podia ver sua suposição de estarmos chegando ao fim de nossa jornada.

Nosso trajeto nos levou por Nine Elms abaixo, e por fim chegamos à grande madeireira de Broderick e Nelson, que ficava logo depois da taberna White Eagle. Ali, o cão alvoroçado adentrou o recinto pelo portão lateral, onde os serradores já estavam trabalhando. O animal seguiu correndo em meio à serragem e tiras de marceneiros, desceu um beco, chegou ao fim de um corredor entre duas pilhas de madeira e, por fim, com um latido triunfal, saltou sobre um grande barril que ainda se encontrava em cima do carrinho de mão em que fora carregado. Com a língua para fora e piscando, Toby permaneceu sobre o tonel, seu olhar desviando entre nós, aguardando um sinal de aprovação. As aduelas do barril e as rodas do carrinho estavam sujas com um líquido escuro e o ar estava impregnado pelo cheiro de creosoto.

Sherlock Holmes e eu nos entreolhamos com perplexidade, e em seguida caímos em um ataque de riso incontrolável.

CAPÍTULO VIII

Os frequentadores não habituais de Baker Street

— E agora? — perguntei. — O Toby perdeu sua reputação de infalível.

— Ele fez o que pôde, com o que dispunha — disse Holmes, tirando-o de cima do barril e levando-o para fora da serralheria. — Levando-se em conta a quantidade de creosoto que é transportada em Londres no decorrer de um único dia, não é de se espantar que nossa trilha tenha sido interceptada. Hoje em dia é um produto muito utilizado, principalmente para curar madeira. Não podemos culpar o pobre Toby.

— Imagino que precisemos voltar ao rastro principal.

— Precisamos, e por sorte não precisamos ir longe. Logicamente o que confundiu o cão na esquina da Knight's Place foi a presença de duas pistas distintas que seguem em direções opostas. Nós pegamos a pista errada. Só resta seguir a outra.

Não houve dificuldade a esse respeito. Guiando Toby de volta ao local onde cometera o erro, ele logo farejou em um grande círculo e finalmente seguiu correndo em uma nova direção.

— Precisamos tomar cuidado para que ele não nos guie mais uma vez para o lugar de onde veio o barril de creosoto — comentei.

— Eu já tinha pensado nisso. Mas repare que ele segue pela calçada, ao passo que o carrinho passou pela pista. Não, agora estamos na pista certa.

A pista descia a margem do rio, atravessando Belmont Place e Prince's Street. No fim da Broad Street, seguia direto para a beira da água, onde havia um pequeno cais de madeira. Toby nos levou até a margem e ficou ali ganindo e olhando a corrente turva.

— Estamos sem sorte — disse Holmes. — Eles tomaram uma embarcação aqui.

Vários pequenos esquifes e chalanas espalhavam-se pela água e à margem do cais. Levamos Toby a cada um deles, sucessivamente, porém, embora fungasse avidamente, ele não deu nenhum sinal.

Próximo à plataforma tosca erguia-se uma casinha de tijolos, com uma tabuleta de madeira pendurada na segunda janela. "Mordecai Smith", dizia, em letras de forma volumosas, e embaixo: "Alugam-se barcos por hora ou por diária". Outro letreiro acima da porta informava que a lancha a vapor havia sido alugada, o que era confirmado por uma grande pilha de carvão no cais. Sherlock Holmes olhou lentamente ao redor e seu rosto assumiu uma expressão agourenta.

— Isso parece ruim — disse ele. — Esses camaradas são mais vivos do que eu esperava. Parece que apagaram seu próprio rastro. Receio que tenha havido um plano previamente organizado.

Ele se aproximava da porta da casa quando esta se abriu e um garotinho de seis anos, com cabelos encaracolados, saiu correndo, seguido por uma mulher corpulenta e corada segurando uma enorme esponja.

— Volte já aqui para tomar banho, Jack — gritou ela. — Volte aqui, seu danadinho, porque se o seu pai chegar em casa e o encontrar assim, você vai ver só!

— Meu caro menino! — disse Holmes, estrategicamente. — Que bochechas coradas você tem, seu maroto! Agora, diga, Jack, você quer algo?

O menino refletiu por um momento.

— Eu queria um xelim — respondeu.

— Não tem outra coisa de que gostaria ainda mais?

— Gostaria mais de dois xelins — respondeu o esperto, depois de pensar um pouco.

— Então, tome aqui! Pegue!... Um rapazinho muito esperto, Sra. Smith!

— Deus o abençoe, senhor, é mesmo, e atrevido. Quase não dou conta de acompanhá-lo, principalmente, quando meu marido passa dias viajando.

— Ele está fora? — perguntou Holmes com decepção na voz. — Que pena, pois eu queria falar com o Sr. Smith.

— Está fora desde ontem de manhã, senhor, e, para dizer a verdade, eu estou começando a me preocupar. Mas se era um barco que queria, senhor, talvez eu possa ajudá-lo.

— Eu queria alugar uma lancha a vapor.

— Ah, ora só, senhor! Foi justamente na lancha a vapor que ele saiu. É isso que me deixa intrigada, pois sei que ela só tinha carvão para chegar até Woolwich e voltar. Se ele tivesse saído na barcaça, eu não estaria aflita, já que muitas vezes teve de ir a serviço até Gravesend, e, nesse caso, se tivesse muito que fazer, pernoitava por lá. Mas de que serve uma lancha a vapor sem carvão?

— Talvez ele tenha comprado um pouco em algum cais rio abaixo.

— Talvez, senhor, mas não tinha costume de fazer isso. Muitas vezes, eu o ouvi reclamar dos preços que cobram por poucos sacos. Além disso, não simpatizo com aquele homem de perna de pau, com sua cara feia e fala esquisita. Qual será que era sua intenção, sempre rondando por aqui?

— Um homem de perna de pau? — perguntou Holmes, com uma leve surpresa.

— Isso mesmo, senhor, um sujeito moreno, com cara de macaco, que já veio procurar meu marido várias vezes. Foi ele que o acordou ontem, e de certo meu marido sabia que ele viria, pois já tinha colocado pressão na lancha. Preciso lhe dizer, senhor, francamente isso não está me cheirando bem.

— Mas, minha cara Sra. Smith — disse Holmes, encolhendo os ombros — está se afligindo à toa. Como a senhora poderia saber que foi o homem da perna de pau que veio aqui durante a noite? Não vejo como pode estar tão certa disso.

— A voz dele, senhor. Conheço a voz dele, que é grossa, enrolada. Ele bateu na janela... eram umas três horas. "Levante, amigo", ele disse. "Já vão chamar a polícia". Meu marido acordou o Jim, meu filho mais velho, e lá se foram eles sem me dizer nada. Pude ouvir a perna de pau batendo nas pedras.

— E esse homem de perna de pau estava sozinho?

— Não posso dizer com certeza, senhor. Mas não ouvi mais ninguém.

— Ora, eu lamento, Sra. Smith, pois eu queria uma lancha a vapor e tive boas informações a respeito da... Como é mesmo o nome dela?

— *Aurora*, senhor.

— Ah! Não é aquela velha lancha verde, com uma faixa amarela, com a proa bem larga?

— Na verdade, não. É uma lanchinha bacana, como nenhuma outra no rio. Faz pouco tempo que foi pintada de preto com duas listras vermelhas.

— Obrigado. Espero que o Sr. Smith retorne logo. Vou descer o rio e, se avistar *Aurora*, informarei a ele sobre sua preocupação. Uma chaminé preta, não é?

— Não, senhor. Preta com uma listra branca.

— Ah, é claro. Os costados é que são todos pretos. Bom dia, Sra. Smith. Ali está um barqueiro com um bote, Watson. Vamos tomá-lo para atravessar o rio.

"O principal com esse tipo de gente", disse Holmes, quando nos sentamos nos bancos do bote, "é nunca deixar que percebam que temos algum interesse em suas informações. Se o fizermos, eles se fecham como ostras de imediato. No entanto, se os ouvirmos como que a contragosto, é muito provável que consigamos arrancar o que quisermos."

— Agora o nosso rumo parece bem claro — disse eu.

— O que você faria nesse caso?

— Alugaria uma lancha e desceria o rio seguindo a pista da *Aurora*.

— Meu caro amigo, esta seria uma tarefa colossal. Ela pode ter parado em qualquer cais entre este ponto e Greenwich. Abaixo da ponte, estende-se um verdadeiro labirinto de cais que se prolonga por quilômetros. Nós levaríamos dias e dias para percorrê-los caso tentássemos fazer isso sozinhos.

— Então empregue a polícia.

— Não. Provavelmente só chamarei Athelney Jones no último instante. Ele não é um mau sujeito, e de forma alguma eu gostaria de fazer algo que o prejudicasse profissionalmente. Mas gostaria de resolver isso por minha conta, agora que viemos tão longe.

— Então, não poderíamos colocar um anúncio pedindo informações de donos de cais?

— Pior ainda! Nossos homens saberiam que estamos em sua cola e sairiam do país. Do jeito que as coisas estão, é bem provável que façam isso mesmo, mas, enquanto julguem que estão perfeitamente seguros, não terão pressa. A energia de Jones será útil a nós nesse ponto, pois sua visão do caso certamente aparecerá na imprensa diária e os fugitivos pensarão que todos estão na pista errada.

— O que vamos fazer, então? — perguntei quando desembarcamos perto da Penitenciária de Millbank.

— Entrar nessa charrete, ir para casa, tomar um bom desjejum e dormir por uma hora. É bem provável que estaremos em serviço hoje à noite também. Cocheiro, pare em uma agência telegráfica! Vamos ficar com o Toby, pois talvez ele ainda nos seja de alguma utilidade.

Paramos na agência dos correios de Great Peter Street e Holmes enviou seu telegrama.

— Para quem acha que enviei isso? — perguntou ele quando nós recomeçamos nossa jornada.

— Não faço a menor ideia.

— Lembra-se da divisão de Baker Street, da força policial de detetives que eu empreguei no caso de Jefferson Hope?

— Sim? — respondi, rindo.

— Esse é exatamente um caso em que eles podem ser inestimáveis. Se fracassarem, eu tenho outros recursos. mas vou tentar empregá-los primeiro. Enviei esse telegrama para meu pequeno e sujo tenente Wiggins, e espero que ele e sua gangue se juntem a nós antes de terminarmos nosso desjejum.

Eram entre oito e nove horas, naquele momento, e eu começava a sentir o resultado da série de tumultos daquela noite. Eu estava exausto, com a perna coxeando, a mente conturbada e o corpo cansado. Não tinha o entusiasmo profissional que movia meu companheiro, nem era capaz de enxergar o assunto como um mero problema intelectual abstrato. No que tangia a morte de Bartholomew Sholto, não ouvira muita coisa boa a seu respeito, e não conseguia sentir nenhuma grande aversão por seus assassinos. O tesouro, no entanto, era outra coisa. Aquilo, ou parte daquilo, pertencia legitimamente à Srta. Morstan. Enquanto existisse uma chance de reavê-lo, eu estaria disposto a dedicar minha vida a esse único objetivo. Na verdade, se eu o encontrasse, ele provavelmente a deixaria fora de meu alcance. Mas apenas um amor mesquinho e egoísta se deixaria influenciar por um pensamento ruim como esse. Se Holmes trabalhava para encontrar os criminosos, motivos dez vezes mais fortes me motivavam a encontrar o tesouro.

Um banho em Baker Street e uma troca completa de roupa fizeram maravilhas para meu ânimo. Ao descer para nossa sala, encontrei o desjejum pronto e Holmes servindo o café.

— Aqui está — disse ele, rindo e apontando para um jornal aberto. — O diligente Jones e o onipresente repórter resolveram tudo entre si. Mas você já deve estar farto desse caso. É melhor que coma seus ovos com presunto primeiro.

Apanhei o jornal dele e li a breve notícia intitulada "Caso misterioso em Upper Norwood".

Por volta de meia-noite de ontem — dizia o Standard *—, o Sr. Bartholomew Sholto, de Pondicherry Lodge, Upper Norwood, foi encontrado morto em seu aposento em circunstâncias que indicam um ato criminoso. Até onde foi possível apurar, nenhum sinal de violência foi encontrado no corpo do Sr. Sholto, mas uma valiosa coleção de gemas indianas que o falecido cavalheiro havia herdado do pai tinha desaparecido. A descoberta foi constatada inicialmente pelo Sr. Sherlock Holmes e o Dr. Watson, que chegavam de visita com o Sr. Thaddeus Sholto, irmão do falecido. Por um golpe de sorte ímpar, o Sr. Athelney Jones, conhecido membro da força policial de detetives, encontrava-se na delegacia* policial de Norwood, e compareceu ao local menos de meia hora depois do primeiro alarme. Seus talentos treinados e experientes logo foram direcionados para a detecção dos criminosos, com o satisfatório resultado da detenção de Thaddeus Sholto, irmão da vítima, assim como a da governanta, Sra. Bernstone, e de um mordomo indiano chamado Lao Rao e de um porteiro de nome McMurdo. É certo que o ladrão ou os ladrões conheciam bem a casa, pois o notório conhecimento técnico do Sr. Jones e sua habilidade de observação de detalhes lhe permitiram provar, conclusivamente, que os malfeitores não teriam conseguido passar pela porta ou janela, tendo certamente chegado pelo telhado da edificação e, em seguida, por meio de um alçapão, adentrando um quarto que tinha ligação com o cômodo onde o corpo foi encontrado. Essa circunstância, que foi muito muito bem estabelecida, é uma prova conclusiva de que o caso não se trata de mero roubo. A ação pronta e enérgica dos funcionários da lei denota a enorme vantagem da presença, em tais ocasiões, de um espírito vigoroso e ágil. Não podemos deixar de pensar que isso prové um argumento para que os que desejam ver nossos detetives mais descentralizados, e assim postos em um contato mais íntimo e efetivo com os casos que têm o dever de investigar.

— Não é magnífico? — perguntou Holmes, sorrindo acima de sua xícara de café. — O que acha disso?

— Acho que nós dois escapamos por pouco de ser presos pelo crime.

— Eu acho o mesmo. Não garantiria nossa segurança agora, caso ele viesse a ter mais um desses acessos de energia.

Nesse momento, a campainha tocou ruidosamente, e pude ouvir a Sra. Hudson, nossa governanta, erguer a voz em um gemido de protesto e consternação.

— Meu Deus, Holmes — disse eu, levantando-me da cadeira. — Acredito que realmente estejam atrás de nós.

— Não, não é nada tão grave assim. Trata-se da força não oficial... os frequentadores não habituais de Baker Street.

Enquanto ele falava, ouvimos um estardalhaço de pés descalços escada acima, um vozerio de timbres agudos e uma dúzia de moleques sujos e maltrapilhos irromperam na sala. Apesar da entrada tumultuada, eles tinham um ar de disciplina, pois logo se perfilaram e nos olharam com grande expectativa. Um deles, mais alto e mais velho que os demais, deu um passo à frente, com um olhar indolente de superioridade que chegava a ser engraçado em um garoto tão espantoso como aquele.

— Recebi seu recado, senhor — disse ele — e os trouxe pontualmente. Três xelins e seis *pence* para as passagens.

— Aqui estão — disse Holmes, entregando-lhe algumas moedas de prata. — Futuramente, eles podem se apresentar a você, Wiggins, e você a mim. Não posso ter a casa invadida dessa forma. Ainda assim, é ótimo que vocês todos ouçam as instruções. Quero descobrir o paradeiro de uma lancha a vapor chamada *Aurora*, de propriedade de Mordecai Smith. É uma embarcação preta com duas listras vermelhas, chaminé preta com uma faixa branca. Está em algum lugar do rio. Quero que um menino fique no ancoradouro de Mordecai Smith, em frente a Millbank, para informar caso o barco regresse. Vocês devem se dividir entre si e vasculhar atentamente as duas margens. Informem-me assim que tiverem alguma novidade. Entenderam tudo?

— Entendemos, chefe — respondeu Wiggins.

— Seguimos a antiga tabela de pagamento e um guinéu a mais para o menino que encontrar o barco. Aqui está um dia adiantado. Agora podem ir!

Ele entregou um xelim para cada um, e eles desceram a escada em grande alvoroço. Um instante depois, eu os vi correndo pela rua.

— Se a lancha estiver na água, eles a encontrarão — disse Holmes ao se levantar da mesa e acender seu cachimbo. — Eles podem ir a todo canto, ver tudo, ouvir todo mundo. Espero receber notícias de que a avistaram antes que a noite chegue. Nesse ínterim, só nos resta aguardar os resultados. Não podemos retomar a pista interrompida até encontrarmos ou a *Aurora*, ou o Sr. Mordecai Smith.

— Acho que Toby poderia comer esses restos, não? Vai se deitar, Holmes?

— Não. Não estou cansado. Tenho uma constituição física curiosa. Não me lembro de alguma vez ter me sentido exaurido pelo trabalho, ao passo que a ociosidade me deixe totalmente fatigado. Vou fumar e pensar sobre esse estranho caso em que minha bela cliente nos envolveu. Se já houve uma tarefa fácil, deve ser essa com que estamos lidando. Homens de perna de pau não são muito comuns, mas eu arriscaria dizer que o outro homem deve ser absolutamente ímpar.

— Esse outro homem de novo!

— Bem, não desejo fazer dele um mistério para você. Mas já deve ter formado sua própria opinião. Agora, analise os dados. Pegadas pequeninas, dedos jamais apertados por botas, pés descalços, marreta de cabeça de pedra, muito ágil, dardos miúdos envenenados. Que acha disso tudo?

— Um selvagem! — exclamei. — Talvez um daqueles indianos cúmplices de Jonathan Small.

— Dificilmente — disse ele. — Assim que vi indícios de armas estranhas, inclinei-me a cogitar isso. No entanto, o caráter singular das pegadas fez com que eu reconsiderasse minhas ideias. Alguns habitantes da Península Indiana são baixos, mas não a ponto de deixar marcas como aquelas. O hindu propriamente dito tem pés longos e finos. O maometano, que usa sandálias, tem o polegar bem separado dos outros dedos por conta da tira de couro que costuma passar entre eles. Os minúsculos dardos também só poderiam ser lançados de uma maneira: com uma zarabatana. De onde, então, vem nosso selvagem?

— Da América do Sul — arrisquei.

Ele estendeu a mão e apanhou um livro grosso da estante.

— Este é o primeiro volume de um dicionário geográfico em vias de publicação. Pode ser considerado a mais recente autoridade no assunto. E que temos aqui? "Ilhas Andamão, situadas a quinhentos e cinquenta quilômetros ao norte de Sumatra, na Baía de Bengala". Hum! Que é isso? "Clima úmido, recifes de corais, tubarões, Port Blair, penitenciária, ilha de Rutland, choupos"... Ah, aqui está! "Os aborígenes das ilhas Andamão talvez possam reivindicar a distinção de serem a menor raça da face da Terra, embora alguns antropólogos prefiram os boxímanes da África, os índios escavadores da América, e os fueguinos. A estatura média gira em torno de um metro e vinte, embora seja possível encontrar vários adultos já plenamente desenvolvidos que apresentam estatura até bem menor que essa. São pessoas ferozes, rabugentas e intratáveis, embora sejam capazes de formar laços de amizades dos mais devotados uma vez que sua confiança tenha sido conquistada". Registre isso, Watson. Agora ouça. "Eles são naturalmente medonhos, têm cabeças grandes, malformadas, olhos pequenos e cruéis e feições deformadas. Os pés e mãos, no entanto, são notavelmente pequenos. São tão ferozes e intratáveis que todos as tentativas dos funcionários britânicos em conquistá-los fracassaram completamente. Sempre foram um terror para as tripulações de navios naufragados, pois desferem golpes em suas cabeças com seus porretes de cabeça de ferro ou os alvejam com suas flechas envenenadas. Esses massacres invariavelmente terminam com um banquete canibal". Uma gente boa e amável, Watson! Se esse sujeito tivesse sido deixado solto por aí, esse caso poderia ter assumido um aspecto ainda mais horripilante. Parece-me que, apesar da forma como as coisas se desenrolaram, Jonathan Small definitivamente teria preferido não tê-lo utilizado.

— Mas como será que ele arranjou um companheiro tão singular?

— Ah, isso é mais do que posso dizer. Mas, como já havíamos concluído que Small viera das ilhas Andamão, não é tão espantoso que tenha esse ilhéu consigo. Sem dúvida saberemos tudo a respeito no devido momento. Mas você parece completamente exaurido, Watson. Deite-se no sofá e verei se consigo fazê-lo dormir.

Apanhou o violino em um canto e, enquanto eu me esticava, começou a tocar uma ária suave, sonhadora e melodiosa... dele mesmo, sem dúvida, pois tinha um talento digno de nota para a improvisação. Lembro-me vagamente de seus membros esguios, de seu semblante sério e do subir e descer do arco. Depois tive a impressão de flutuar tranquilamente em um mar manso e sonoro, até que me vi na terra dos sonhos, com o doce semblante de Mary Morstan a me observar.

CAPÍTULO IX

O rompimento da corrente

Era fim de tarde quando acordei revigorado e disposto. Sherlock Holmes continuava sentado exatamente do mesmo jeito, exceto por ter deixado de lado o violino e estar absorto em um livro. Quando me mexi, lançou-me um olhar de esguelha e percebi que seu rosto estava sombrio e conturbado.

— Você dormiu profundamente — disse ele. — Fiquei com receio de que nossa conversa o despertasse.

— Não ouvi nada — respondi. — Então, teve novidades?

— Infelizmente, não. Confesso que estou surpreso e desapontado. A essa hora já esperava ter algo definido. Wiggins esteve aqui há pouco. Revelou que não se consegue encontrar nem sinal da lancha. É um obstáculo enervante, porque cada hora importa.

— Tem alguma coisa que eu possa fazer? Estou perfeitamente descansado agora e pronto para outra incursão noturna.

— Não. Não há nada que possamos fazer. Só nos resta esperar. Se sairmos, a mensagem pode chegar durante a nossa ausência e isso causaria um atraso. Faça o que quiser, mas eu devo ficar de prontidão.

— Sendo assim, vou dar um pulo em Camberwell e fazer uma visita à Sra. Cecil Forrester. Ela me convidou ontem.

— A Sra. Cecil Forrester? — perguntou Holmes com um lampejo brincalhão no olhar.

— Sim, é claro, e a Srta. Morstan também. Elas estavam ansiosas para saber o que aconteceu.

— Eu não contaria demais — disse Holmes. — As mulheres nunca são inteiramente confiáveis, não as melhores delas.

Não me detive para discutir esse comentário cruel.

— Voltarei dentro de uma ou duas horas — falei.

— Muito bem! Boa sorte! Mas, já que vai cruzar o rio, seria bom que levasse Toby, pois agora não me parece provável que ainda nos servirá para alguma coisa.

Assim, peguei o cão e deixei-o, juntamente com meio soberano, na casa do velho naturalista em Pinchin Lane. Em Camberwell, encontrei a Srta. Morstan um pouco abatida após as aventuras da noite, mas bem ansiosa por saber as novidades. A Sra. Forrester estava igualmente curiosa. Contei-lhes o que havíamos feito, omitindo, no entanto, os pontos mais assombrosos da tragédia. Desse modo, embora tenha comentado sobre o assassinato do Sr. Sholto, nada revelei sobre a forma exata e o método usado para cometê-lo. Apesar de tudo que omiti, havia material o suficiente para deixá-las surpresas e espantadas.

— Mas que enredo! — exclamou a Sra. Forrester. — Uma dama ofendida, um tesouro de meio milhão, um canibal negro e um rufião de perna de pau. Eles tomam o lugar do habitual dragão ou do conde maléfico.

— E dois cavaleiros andantes que acorrem para acudir — acrescentou a Srta. Morstan, olhando-me vivamente.

— Ora, Mary, sua fortuna depende do resultado dessa investigação. Mas você não me parece muito empolgada. Imagine só como deve ser possuir tamanha fortuna e ter o mundo a seus pés!

Senti uma onda de alegria no coração ao constatar que ela não demonstrou nenhum sinal de júbilo diante dessa possibilidade. Muito pelo contrário, meneou sua nobre cabeça como se aquela não fosse uma questão de seu interesse.

— É com o Sr. Thaddeus Sholto que me preocupo — disse ela. — Nada mais tem importância. Acho que ele se portou da forma mais benevolente e honrosa do começo ao fim. É nosso dever inocentá-lo dessa acusação horrível e infundada.

Anoitecia quando deixei Camberwell e já estava escuro quando cheguei em casa. O livro e o cachimbo de meu companheiro estavam junto à sua poltrona, mas ele havia sumido. Olhei ao redor na esperança de ver algum bilhete, mas não havia nenhum.

— Imagino que o Sr. Sherlock Holmes tenha saído, não? — perguntei à Sra. Hudson quando ela apareceu para baixar as persianas.

— Não, senhor. Foi para o quarto. Sabe... — disse ela, baixando o tom de voz a um sussurro — eu temo pela saúde dele.

— Mas, por que, Sra. Hudson?

— Bem, ele está tão esquisito... Depois que o senhor saiu, ficou andando para cima e para baixo, repetidamente, a ponto de eu ficar farta do som de seus passos. Depois, escutei-o falando sozinho e resmungando, e sempre que a campainha tocava, ele aparecia no topo da escada e perguntava: "Quem é, Sra. Hudson?". E agora se trancou no quarto, mas continuo ouvindo enquanto anda de um lado para outro, como antes. Espero que ele não adoeça, senhor. Ousei falar-lhe sobre algum remédio revigorante, mas ele se virou para mim, senhor, e me olhou de tal forma que nem sei como foi que consegui sair do quarto.

— Creio que não tem nenhum motivo para se afligir, Sra. Hudson — respondi. — Já o vi nesse estado antes. Tem um probleminha acossando-lhe a mente que o deixa agitado.

Procurei falar de forma despreocupada com nossa digna governanta, porém, eu mesmo fiquei um pouco angustiado quando, durante a longa noite, conseguia ouvir, de tempo em tempo, o som vago de seus passos, sabendo como seu espírito ávido se inquietava com aquela inatividade involuntária.

Na hora do desjejum, ele parecia pálido e cansado, com um toque de rubor febril no rosto.

— Está se extenuando, meu velho — observei. — Pude ouvir enquanto perambulava durante a noite.

— Não, não consegui dormir — respondeu ele. — Esse problema infernal está me consumindo. É inadmissível ficar estacado por conta de um empecilho tão irrelevante, quando todo o restante já foi resolvido. Conheço os homens, a lancha, tudo. E, ainda assim, não consigo obter notícias. Acionei outras forças e usei todos os meios disponíveis. O rio inteiro foi vasculhado, de ambos os lados, mas nada foi apurado, e a Sra. Smith tampouco teve notícias do marido. Logo terei que concluir que eles afundaram a lancha. Mas há objeções quanto a essa hipótese.

— Ou aquela Sra. Smith nos colocou na pista errada.

— Não, acho que isso pode ser descartado. Mandei averiguar e existe uma lancha como a que ela descreveu.

— Poderia ter subido o rio?

— Também considerei essa possibilidade e há um grupo de busca que irá até Richmond. Se hoje nenhuma notícia vier até nós, eu mesmo partirei amanhã, à procura dos homens, e não mais da lancha. Mas, é certo, é certo, sim, que ficaremos sabendo de alguma coisa hoje.

Mas não soubemos. Nenhuma palavra nos veio de Wiggins ou das outras fontes. Saíram matérias sobre a tragédia de Norwood na maioria dos jornais. Todos pareciam bastante hostis ao desventurado Thaddeus Sholto. No entanto, não havia nenhum novo detalhe em qualquer um deles, exceto a informação de que um inquérito seria realizado no dia seguinte. Fui até Camberwell no fim da tarde para narrar nosso insucesso para as senhoras, e ao voltar encontrei Holmes desanimado e um pouco mal-humorado. Mal respondeu às minhas perguntas e passou o anoitecer ocupado com a análise química confusa que envolvia alto aquecimento de tubos e destilação de vapores, resultando em um cheiro que quase me enxotou do apartamento. Até a madrugada, eu conseguia ouvir o tilintar dos tubos de ensaio, o que me indicava que ele prosseguia às voltas com sua experiência fétida.

Ao raiar do dia, acordei em um sobressalto e fiquei surpreso ao encontrá-lo de pé ao lado de minha cama, com um traje rude de marinheiro, um casacão de lã e um lenço vermelho grosseiro no pescoço.

— Vou descer o rio, Watson — disse ele. — Estive matutando sobre esse assunto e só consegui enxergar uma saída. De qualquer forma, vale a pena tentar.

— Nesse caso, com certeza posso acompanhá-lo, sim?

— Não. Você será mais útil para mim se permanecer aqui como meu representante. Estou relutante em ir, porque é bastante provável que chegue alguma mensagem durante o dia, ainda que Wiggins estivesse sem esperanças ontem à noite. Quero que abra todos os bilhetes e telegramas, e aja conforme seu próprio julgamento no caso de novas notícias. Posso contar com você?

— Sem dúvida.

— Receio que não vai poder me telegrafar, pois ainda não sei para onde vou. Porém, se eu tiver sorte, não tardarei a voltar. Devo ter algum tipo de notícia, seja qual for, antes de retornar.

Ele não havia dado sinal de vida quando me sentei para o desjejum. Porém, ao abrir o *Standard*, constatei que havia uma nova menção do caso.

No que diz respeito à tragédia de Upper Norwood, temos razões para acreditar que o assunto promete ser ainda mais complexo e misterioso do que inicialmente se imaginava. Novos indícios evidenciaram que é inteiramente impossível que o Sr. Thaddeus Sholto possa ter tido qualquer envolvimento no crime. Ele e a governanta, Sra. Bernstone, foram ambos libertados na tarde de ontem. No entanto, acredita-se que a polícia tenha uma pista dos verdadeiros culpados, e que esteja sendo investigada pelo Sr. Athelney Jones, da Scotland Yard, com toda sua conhecida energia e sagacidade. Outras detenções podem ser esperadas a qualquer momento.

"Bastante satisfatório", pensei. "De qualquer maneira, o amigo Sholto está a salvo. E essa nova pista, qual será? Apesar de que isso parece aquela forma estereotipada que costuma ser utilizada sempre que a polícia comete algum erro."

Joguei o jornal na mesa, mas nesse momento meu olhar se recaiu sobre a coluna de assuntos pessoais, onde se lia:

DESAPARECIDOS – Tendo Mordecai Smith, barqueiro, e seu filho Jim deixado o cais de Smith por volta das três horas da última terça-feira, na lancha a vapor Aurora, embarcação preta com duas listras vermelhas, chaminé preta com faixa branca, a soma de cinco libras será paga a qualquer pessoa que possa dar informações à Sra. Smith, no cais de Smith, ou em *Baker Street, 221B*, a respeito do paradeiro do supracitado Mordecai Smith e da lancha Aurora.

Isso era evidentemente obra de Holmes. O endereço de Baker Street era o bastante para provar isso. Fiquei impressionado com a engenhosidade, pois os fugitivos poderiam lê-lo sem notar mais do que a ansiedade natural de uma esposa diante do desaparecimento do marido.

Foi um longo dia. Cada vez que alguém batia à porta, ou que passos apressados percorriam a rua, eu imaginava que era ou Holmes regressando, ou uma resposta ao seu anúncio. Tentei ler, mas meus pensamentos se desviavam para nossa estranha busca e para a dupla incompatível e vil que perseguíamos. Poderia haver, pensei, alguma falha expressiva na linha de raciocínio do meu companheiro? Não poderia ele estar se iludindo amplamente? Não poderia sua mente ágil e especulativa ter elaborado essa teoria extravagante sob falsas premissas? Eu jamais o vira cometer um erro, porém, até o detentor do mais aguçado raciocínio pode se enganar, ocasionalmente. Ele era propenso, pensei eu, a cair em erro por conta do excessivo refinamento de sua lógica; sua predileção por uma explicação sutil e estranha, quando uma mais simples e trivial estava à mão. Por outro lado, eu mesmo vira os indícios e ouvira as razões que embasavam suas deduções. Quando recapitulei a longa sequência de circunstâncias curiosas, muitas das quais banais em si mesmas, mas todas tendendo para a mesma direção, não tive como ocultar para mim mesmo que, ainda que a explicação de Holmes estivesse incorreta, a verdadeira teoria só podia ser igualmente excêntrica e espantosa.

Às três da tarde, a campainha soou de forma ruidosa, e uma voz impositiva se fez ouvir no saguão e, para minha surpresa, ninguém menos que o Sr. Athelney Jones foi anunciado. Parecia, no entanto, muito diferente do brusco e autoritário professor de bom senso que assumira o caso de forma tão confiante em Upper Norwood. Apresentava uma fisionomia deprimida e uma postura humilde, até contida.

— Bom dia, senhor, bom dia — disse ele. — O Sr. Sherlock Holmes saiu, pelo que entendi?

— Saiu, e não sei bem ao certo quando voltará. Mas talvez o senhor queira esperar. Sente-se naquela poltrona ali e experimente um desses charutos.

— Obrigado. Acho que vou aceitar — disse ele, enxugando o rosto com um grande lenço vermelho e estampado.

— E um uísque com soda?

— Bem, meio copo. O calor está excessivo para esta época do ano. E preocupações e aborrecimentos é o que não me falta. O senhor conhece a minha teoria a respeito do caso de Norwood?

— Recordo-me que expressou uma.

— Bem, fui obrigado a revê-la. Eu tinha fechado o cerco em torno do Sr. Sholto, senhor, quando ele escapou por uma frestinha. Conseguiu um álibi que não havia como ser contestado. Desde o instante em que saiu do quarto do irmão, não ficou sequer um segundo fora da vista de uma pessoa ou outra. Dessa forma, não pode ter sido ele que subiu em telhados e passou por alçapões. É um caso muito sinistro e meu prestígio profissional está em jogo. Eu agradeceria muito por alguma ajuda.

— Todos nós precisamos de ajuda em algumas ocasiões — disse eu.

— Seu amigo, o Sr. Sherlock Holmes, um homem formidável, senhor — disse ele com um tom rouco e confidencial. — Ele é um homem imbatível. Já vi aquele rapaz se envolver em um grande número de casos e jamais houve sequer um que ele não conseguisse elucidar. É incomum em seus métodos e talvez se jogue depressa demais às teorias; porém, no geral, acho que teria dado um policial dos mais promissores e não me incomodo que saibam disso. Esta manhã recebi um telegrama dele, e pelo que diz entendi que encontrou alguma pista nesse caso Sholto. Aqui está a mensagem.

Apanhou o telegrama do bolso e estendeu-o a mim. Estava datado de Poplar, ao meio-dia.

Vá até Baker Street de imediato. Se eu não tiver voltado, espere por mim. Estou no encalço dessa gangue de Sholto. Pode ir conosco esta noite se quiser participar do desfecho.

— Isso me soa bem. É evidente que ele reencontrou o rastro — disse eu.

— Ah, então ele também andou cometendo erros! — exclamou Jones com evidente satisfação. — Às vezes até mesmo os melhores de nós são induzidos ao erro. Claro que isso poderá acabar se provando um alarme falso, mas, como agente da lei, é meu dever não deixar escapar nenhuma chance. Há alguém à porta, talvez seja ele.

Ouvimos um passo pesado subindo a escada, acompanhado do ruído ofegante de um homem sem fôlego. Parou uma ou duas vezes, como se a subida fosse demais para ele, mas por fim chegou até nossa porta e adentrou a sala. Sua aparência estava compatível com o som que ouvíramos. Era um homem idoso, trajado de marinheiro, com um velho casacão de marujo abotoado até o pescoço. As costas estavam encurvadas, os joelhos tremiam intensamente e sua respiração parecia penosa e asmática. Enquanto se amparava em um cajado grosso de carvalho, seus ombros se erguiam pelo esforço de puxar o ar para dentro dos pulmões. Um cachecol colorido lhe envolvia o queixo, e dava para ver pouco de seu rosto, exceto por um par de olhos vivos e escuros, abaixo de sobrancelhas brancas e costeletas grisalhas. O conjunto dava a impressão de ser um capitão respeitável e prostrado pelos anos e pela pobreza.

— Pois não, senhor? — perguntei.

Ele olhou à sua volta, à maneira metódica da velhice.

— O Sr. Sherlock Holmes está? — perguntou.

— Não, mas eu o represento. Pode passar a mim qualquer mensagem que tenha para ele.

— Mas era para ele mesmo que eu devia comunicá-la.

— Mas eu lhe garanto que o represento. É a respeito do barco do Sr. Mordecai?

— Sim. Sei exatamente onde ele está. E sei também onde estão os homens que ele procura. E sei onde está o tesouro. Sei tudo sobre isso.

— Então, conte-me, e eu transmitirei tudo a ele.

— Era para ele que eu queria contar — repetiu ele, com a teimosia petulante de um homem bem velho.

— Bem, então terá que esperar por ele.

— Não, não. Não vou perder um dia inteiro só para agradar alguém. Já que o Sr. Holmes não está aqui, ele que trate de descobrir tudo sozinho. Não gosto do jeito de nenhum dos senhores e não vou dizer nem uma palavra.

Ele seguiu com o passo arrastado na direção da porta, mas Athelney Jones passou na sua frente.

— Espere um instante, meu amigo — disse ele. — O senhor tem uma informação importantíssima e não deve ir embora. Vou mantê-lo aqui, o senhor gostando ou não, até que nosso amigo volte.

O velho deu uma corridinha em direção à porta, mas, assim que Athelney Jones recostou suas costas largas contra ela, ele reconheceu como sua resistência era inútil.

— Mas que belo tratamento! — gritou, batendo o cajado no piso.

— Vim até aqui para ver um cavalheiro e os senhores, que nunca vi na vida, detêm-me e tratam-me dessa forma!

— O senhor não será prejudicado — disse eu. — Será recompensado pela perda de seu tempo. Sente-se aqui no sofá e não terá que esperar muito.

Atravessou a sala com a expressão carrancuda e sentou-se com o rosto apoiado nas mãos. Jones e eu voltamos aos nossos charutos e à nossa conversa. De repente, porém, a voz de Holmes irrompeu em nossos ouvidos.

— Bem que poderiam me oferecer um charuto também — disse ele.

Nós dois tomamos um susto. Ali estava Holmes sentado perto de nós com um ar de divertimento em suas feições.

— Holmes! — exclamei. — Você aqui! Mas onde está o velho?

— Aqui está — disse ele, segurando um chumaço de cabelos brancos. — Aqui está o velho: peruca, costeletas, sobrancelhas e tudo. Apesar de achar que meu disfarce fosse muito bom, garanto que não esperava passar por esse teste.

— Ah, seu trapaceiro! — exclamou Jones com grande deleite. — Poderia ter sido um ator, e um dos bons. Tinha aquela tosse de asilo de pobres, e aquelas suas pernas trôpegas valem dez libras por semana. Mas tive a impressão de reconhecer o brilho em seus olhos. Não escapou de nós com tanta facilidade, sabe?

— Estive trabalhando nesse disfarce o dia todo — disse ele, acendendo seu charuto. — Sabem, muitas pessoas dos meios criminosos começam a me conhecer, principalmente desde que meu companheiro aqui passou a publicar alguns de meus casos. Dessa forma, só posso partir para a ação sob algum disfarce simples como esse. Recebeu meu telegrama?

— Sim, foi por isso que vim até aqui.

— Fez progressos no caso?

— Deu tudo em nada. Tive que soltar dois de meus prisioneiros e não tenho nenhuma prova contra os outros dois.

— Não se preocupe. Eu lhe entregarei dois outros no lugar deles. Mas você deve seguir minhas ordens. Todo o mérito oficial lhe será atribuído, mas vai ter que agir conforme minha determinação. Está de acordo?

— Inteiramente, se me ajudar a encontrar os homens.

— Bem, sendo assim, primeiro quero que uma embarcação veloz da polícia, uma lancha a vapor, esteja na Escada de Westminster às sete horas.

— Isso é fácil de conseguir. Há sempre uma atracada por ali, mas posso ir até o outro lado da rua e fazer um telefonema para garantir.

— Depois disso, preciso de dois homens fortes para o caso de haver resistência.

— Haverá dois ou três na lancha. O que mais?

— Quando prendermos os homens, nós teremos o tesouro. A meu ver, creio que meu amigo aqui teria um enorme prazer de levar a caixa até a jovem senhora que tem direito à metade do seu conteúdo. Ela deve ser a primeira pessoa a abrir a caixa. Que pensa disso, Watson?

— Seria mesmo um enorme prazer para mim.

— Trata-se de um procedimento muito irregular — disse Jones, meneando a cabeça. — Mas, como todo esse caso é irregular, suponho que devemos fazer vista grossa para isso. Depois, o tesouro deve ser entregue às autoridades, até que seja encerrada a investigação oficial.

— Sem dúvida. Não haverá dificuldade nisso. Mais uma questão. Eu gostaria muito de ouvir alguns detalhes sobre este caso dos lábios do próprio Jonathan Small. Sabe que gosto de esmiuçar os detalhes dos meus casos. Há alguma objeção a que eu tenha uma entrevista não oficial com ele, seja em meu apartamento, ou em algum outro local, contanto que ele esteja devidamente escoltado?

— Bem, você é o senhor da situação. Ainda nem sequer tenho provas da existência de Jonathan Small. Porém, se você conseguir apanhá-lo, não vejo como poderia lhe recusar uma entrevista com ele.

— Então, isso está entendido?

— Perfeitamente. Mais alguma coisa?

— Apenas insisto que jante conosco. A comida estará pronta em meia hora. Tenho ostras e duas perdizes, com algumas opções de vinho branco. Você nunca reconheceu meus méritos como dona de casa, Watson.

CAPÍTULO X
O fim do ilhéu

Tivemos uma refeição alegre. Holmes sabia falar extremamente bem quando queria e foi o que fez nessa noite. Parecia encontrar-se em um estado de entusiasmo nervoso. Eu nunca o vira tão brilhante. Discorreu sobre uma rápida sucessão de assuntos: milagres, cerâmica medieval, violinos Stradivarius, budismo do Ceilão e navios de guerra do futuro, tratando de cada um como se o tivesse estudado atentamente. Seu excelente estado de espírito frisou a reação à sua intensa depressão dos dias anteriores. Athelney Jones provou ser uma alma sociável em suas horas de relaxamento e encarou o jantar com ar de *bon vivant*. Quanto a mim, sentia-me elevado com a ideia de que estávamos nos aproximando da conclusão de nossa tarefa e absorvi um pouco da jovialidade de Holmes. Durante o jantar, nenhum de nós comentou o motivo que nos reunira.

Quando a mesa foi retirada, Holmes espiou o relógio e encheu três copos de vinho do Porto.

— Um brinde — disse ele — ao sucesso de nossa pequena expedição. E agora chegou o momento de partirmos. Tem uma pistola, Watson?

— Meu antigo revólver de serviço está na minha escrivaninha.

— Então é melhor apanhá-lo. É bom que esteja preparado. Vejo que o cabriolé está à porta. Pedi que o trouxessem às seis e meia.

Passava um pouco das sete quando chegamos ao cais de Westminster e encontramos a lancha à nossa espera. Holmes examinou-a atentamente.

— Há algo nela que indique tratar-se de uma embarcação da polícia?

— Sim, aquela grande lâmpada verde na lateral.

— Então, retire-a.

Feita essa pequena mudança, embarcamos e as amarras foram soltas. Jones, Holmes e eu nos sentamos na popa. Havia um homem no leme, outro cuidando das máquinas e dois inspetores policiais parrudos à frente.

— Para que direção? — perguntou Jones.

— Para a Torre. Peça para que parem diante do Estaleiro de Jacobson.

Nossa lancha era evidentemente bem veloz. Ultrapassamos as longas linhas das barcaças carregadas como se elas estivessem ancoradas. Holmes sorriu com satisfação quando alcançamos um vapor fluvial e o deixamos para trás.

— Provavelmente podemos alcançar qualquer coisa no rio — disse ele.

— Bem, talvez não seja para tanto. Mas não há muitas lanchas capazes de nos superar.

— Teremos de capturar a *Aurora* e ela tem fama de ser muito veloz. Vou lhe deixar a par das coisas, Watson. Recorda-se de como fiquei aborrecido por ter ficado empacado por algo tão insignificante?

— Recordo-me.

— Bem, dei um descanso à minha mente, mergulhando em uma análise química. Um de nossos maiores estadistas disse certa vez que uma mudança de trabalho é o melhor descanso. E é mesmo. Assim que fui capaz de dissolver hidrocarboneto com que estava trabalhando, voltei para nosso problema dos Sholto e refleti profundamente sobre todo o assunto outra vez. Meus meninos haviam vasculhado rio acima e abaixo, mas foi uma busca infrutífera. A lancha não estava em nenhum cais ou ancoradouro, tampouco havia regressado. Porém, dificilmente poderiam tê-la afundado para encobertar seus rastros, embora isso permanecesse como uma possibilidade no caso de todo o restante falhar. Eu sabia que esse Small tinha certo grau de astúcia vulgar, mas não o julgava capaz de qualquer ação de requinte ou *finesse*. Em geral, isso advém de instrução superior. Ocorreu-me então que, como ele certamente estava em Londres havia algum tempo, pois tínhamos indícios de que ele mantivesse vigilância permanente à Pondicherry Lodge, dificilmente poderia ter deixado a cidade subitamente; precisaria de algum tempo, ao menos um dia, para organizar suas coisas. De qualquer forma, esse era o balanço das probabilidades.

— Parece-me meio fraco — disse eu. — É mais provável que tivesse organizado suas coisas antes de dar início a essa expedição.

— Não, definitivamente não concordo. Seu covil lhe era um refúgio demasiadamente valioso em caso de necessidade para que ele o abandonasse antes de ter certeza de poder descartá-lo. Jonathan Small deve ter percebido que a aparência peculiar de seu companheiro, por mais que o cobrisse de roupas, instigaria boatos e provavelmente seria associada à tragédia de Norwood. Era perspicaz demais para ver isso. Eles haviam partido de seu quartel-general sob o manto da escuridão, e ele desejaria regressar antes que o dia estivesse claro. Ora, passava das três horas, segundo a Sra. Smith, quando eles pegaram a lancha. Aproximadamente uma hora depois, estaria completamente claro e as pessoas estariam circulando. Sendo assim, deduzi que não podem ter ido para muito longe. Pagaram bem a Smith para que ficasse de bico calado, reservaram sua lancha para a fuga final e correram para seu esconderijo com a arca do tesouro. Duas noites depois, quando já tivessem visto a perspectiva adotada pelos jornais, e se havia alguma suspeita, seguiriam, também protegidos pela escuridão, para algum navio em Gravesend ou nos Downs, onde sem dúvida já teriam providenciado passagens para os Estados Unidos ou as colônias.

— Mas e a lancha? Não poderiam tê-la levado para o esconderijo.

— Exatamente. Calculei que a lancha não deve estar muito distante, apesar de não ter sido avistada. Coloquei-me então no lugar de Small e passei a encarar a questão como faria um homem com sua capacidade. Ele provavelmente imaginaria que mandar a lancha de volta ou mantê-la em algum píer facilitaria a busca no caso de a polícia estar em seu encalço. Como, então, poderia esconder a lancha e ainda assim tê-la à mão, quando necessário? Imaginei o que eu mesmo faria se estivesse no lugar dele. Só consegui encontrar uma saída. Eu poderia entregar a lancha a algum fabricante ou consertador de embarcações, instruindo-o a fazer ligeiras alterações. Ela seria então levada a um galpão ou estaleiro, permanecendo escondida, ao mesmo tempo em que poderia tê-la dentro de poucas horas, quando a requisitasse.

— Isso parece bem simples.

— São exatamente essas coisas muito simples que costumam passar despercebidas. De todo modo, decidi agir me baseando nessa ideia. Trajado com essa roupa inofensiva de marujo, logo comecei a perguntar em todos os estaleiros rio abaixo. Em quinze deles, não deu em nada, porém, no décimo sexto, o de Jacobson, fiquei sabendo que a *Aurora* lhes fora entregue dois dias antes, por um homem de perna de pau, com algumas instruções simples quando ao leme. "Não havia nada de errado com o leme", disse o encarregado. "Lá está ela, com as listras vermelhas." Naquele momento, quem haveria de chegar, senão Mordecai Smith, o proprietário desaparecido! Estava bastante bêbado. Eu não o teria reconhecido, é claro, mas ele berrou seu nome e o de sua lancha. "Preciso dela esta noite, às oito horas", disse ele. "Oito em ponto, pois tenho dois cavalheiros que não podem esperar." Evidentemente eles lhe haviam remunerado bem, pois estava cheio de dinheiro e jogava xelins para os homens. Segui-o a certa distância, mas ele ficou bebendo em uma cervejaria. Então, voltei ao estaleiro e, tendo encontrado um dos meus meninos no caminho por acaso, eu o deixei vigiando a lancha. Deveria ficar na beira da água e agitar seu lenço para nós quando eles partissem. Estaremos na água, a certa distância, e será bem estranho se não capturarmos homens, tesouro e tudo.

— Você planejou tudo muito bem, quer eles sejam os homens certou ou não — disse Jones. — Mas se o caso estivesse em minhas mãos, eu teria deixado um pelotão de policiais no Estaleiro de Jacobson para prendê-los no instante em que chegassem.

— O que não teria acontecido nunca. Esse Small é um sujeito bem ardiloso. Ele mandaria um observador na frente e, se algo despertasse sua desconfiança, permaneceria escondido por mais uma semana.

— Mas você poderia ter se colado a Mordecai Smith, e, dessa forma, seria guiado até o esconderijo deles — disse eu.

— Nesse caso, teria desperdiçado o meu dia. Acho que as chances são de cem contra um de que Smith não saiba onde eles ficam. Contanto que tenha bebida e bom pagamento, por que faria perguntas? Eles lhe enviam mensagens dizendo o que fazer. Não, cogitei todas as rotas possíveis e esta é a melhor.

Enquanto a conversa se desenrolava, nós seguíamos velozes, passando pela longa série de pontes que cruzam o Tâmisa. Ao passarmos pela City, os últimos raios de sol douravam a cruz na cúpula da St. Paul's. O crepúsculo desceu antes de chegarmos à Torre.

— Ali está o Estaleiro de Jacobson — disse Holmes, apontando para um punhado de mastros e cordas do lado de Surrey. — Vamos seguir lentamente, circulando para cima e para baixo, usando essa fileira de embarcações como cobertura. — Ele tirou do bolso um par de binóculos noturnos e ficou olhando a margem por algum tempo. — Vejo meu vigia em seu posto — comentou —, mas nem sinal de lenço.

— E se descermos um pouco o rio para esperá-los? — perguntou Jones com impaciência.

Àquela altura, já estávamos todos ansiosos, até os policiais e foguistas, que tinham apenas uma ideia vaga do que sucedia.

— Não podemos nos dar ao luxo de presumir nada — disse Holmes. — Certamente, as probabilidades são de dez contra um que eles descerão o rio, mas não podemos ter certeza. Deste ponto, é possível ver a entrada do estaleiro, e é quase certo que eles não podem nos ver. A noite será clara, muito iluminada. Melhor ficarmos onde estamos. Observem quantas pessoas estão ali adiante, à luz do lampião.

— Estão saindo do trabalho no estaleiro.

— Gente com pinta de canalha, mas imagino que todos tenham uma centelha imortal por dentro. Olhando para eles, não é de se pensar. *A priori*, não. Que estranho enigma é o homem!

— Há quem chame de alma oculta em um animal — observei.

— Winwood Reade discorre bem sobre esse assunto — disse Holmes. — Ele observa que, enquanto o homem individual é um enigma indecifrável, em conjunto, ele se torna uma certeza matemática. Nunca podemos prever, por exemplo, o que um único homem fará, mas podemos prever, com precisão, o comportamento de um número médio. Os indivíduos são variáveis, mas porcentagens permanecem constantes. Assim dizem os estatísticos. Mas eu estou vendo um lenço? Certamente há algo branco tremulando ali adiante.

— Sim, é o nosso menino! — exclamei. — Posso vê-lo nitidamente.

— E lá vai a *Aurora* — exclamou Holmes — disparada como o demônio! Avante, a todo vapor, marujo. Siga aquela lancha com a luz amarela. Por Deus, jamais me perdoarei se a perdermos de vista!

Ela havia passando sorrateiramente pela entrada do estaleiro, sem que a víssemos, por entre duas ou três pequenas embarcações, de modo que já estava bem acelerada antes que pudéssemos avistá-la. Agora voava rio abaixo, não muito afastada da margem, em uma velocidade espantosa. Jones olhou-a seriamente e meneou a cabeça.

— É muito veloz — disse ele. — Duvido que sejamos capazes de alcançá-la.

— Temos de alcançá-la! — exclamou Holmes por entre os dentes. — Mais carvão, foguistas! Façam-na dar tudo que pode! Precisamos apanhá-los mesmo que para isso tenhamos que queimar esta lancha!

Agora já estávamos a uma distância razoável deles. As fornalhas rugiam e as máquinas potentes zuniam como um coração de metal. A proa pontuda cortava a água plácida do rio e lançava duas ondas à nossa esquerda e direita. A cada pulsação da máquina, ela dava um tranco e estremecia como um ser vivo. Uma grande lanterna amarela em nossa proa lançava um facho de luz à nossa frente. Diante de nós, uma mancha escura na água mostrava onde estava *Aurora* e seu rastro espumante mostrava a velocidade com que seguia. Passávamos como raios por barcaças, vapores, navios mercantes, à direita e à esquerda, por trás de um, contornando outro. Vozes nos saudavam da escuridão, mas a *Aurora* seguia estrondosa e nós nos mantínhamos a seu encalço.

— Mais carvão, homens, mais carvão! — gritava Holmes, lançando olhares para a casa de máquinas, abaixo, enquanto o intenso fulgor que subia se refletia em seu rosto aflito. — Arranquem cada libra de pressão que conseguirem.

— Acho que estamos um pouco mais perto — disse Jones, os olhos fixos na *Aurora*.

— Estou certo que sim — disse eu. — Estaremos emparelhados a ela em poucos minutos.

Nesse instante, porém, para nosso grande azar, um rebocador que vinha puxando três barcaças se meteu entre nós. Só conseguimos evitar uma colisão girando o leme inteiramente para um lado, e antes que pudéssemos contorná-los e retomar nosso curso, a *Aurora* havia ganhado bons duzentos metros de vantagem. Continuava, ainda assim, bem à nossa vista, e o crepúsculo sombrio e incerto dava lugar a uma noite clara e estrelada. Nossas caldeiras funcionavam no limite, e o casco frágil vibrava e estalava com a energia feroz que nos conduzia. Havíamos passado a toda pelo Pool, pelas West India Docks, descido o longo Deptford Reach e voltado a subir depois de contornar a Isle of Dogs. A mancha escura à nossa frente agora se definia nitidamente, revelando a encantadora *Aurora*. Jones apontou nosso holofote para ela, de forma que conseguimos enxergar claramente as silhuetas em seu convés. Um homem ia sentado à popa, curvado sobre algo preto que tinha entre os joelhos. Ao seu lado havia uma massa escura, que parecia um cão terra-nova. O menino segurava o leme, enquanto, diante do clarão vermelho da fornalha, vi o velho Smith nu da cintura para cima, arremessando carvão desesperadamente. A princípio, eles talvez tivessem tido alguma dúvida quanto a estarmos em seu encalço, porém, agora, conforme seguíamos cada volta e guinada que davam, não podia mais haver dúvida. Em Greenwich, estávamos a cerca de duzentos e trinta metros deles. Em Blackwell, não passávamos de cento e cinquenta. Durante minha carreira diversificada, cacei muitos animais, em muitos países, mas nunca senti uma emoção tão intensa no esporte quanto a causada por essa louca caçada humana pelo Tâmisa. Metro a metro, nós nos aproximávamos deles de forma constante. No silêncio da noite, podíamos ouvir suas máquinas resfolegando e tinindo. O homem na popa continuava agachado no convés, e seus braços se moviam como se ele estivesse fazendo algo, e ocasionalmente erguia a cabeça, medindo a distância que ainda nos separava. Chegávamos cada vez mais perto. Jones gritou para que parassem. Estávamos a menos do comprimento de quatro embarcações atrás deles, ambas as lanchas disparadas, a toda. Em um trecho desimpedido do rio, com Barking Level de um lado e os melancólicos Plumstead Marshes do outro. Ao ouvir nossos gritos, o homem da popa saltou do convés e sacudiu os punhos fechados para nós, enquanto praguejava com voz aguda e rouca. Era um homem corpulento, vigoroso e, quando se equilibrou de pernas afastadas, pude ver que da coxa para baixo, ele tinha apenas uma perna de pau do lado direito. Ao som de seus gritos estridentes e irritados, houve um movimento em um montinho escuro no convés. Este monte se revelou como um homenzinho preto, o menor que eu já vira, com uma cabeça grande e malformada e cabeleira desgrenhada. Holmes já havia sacado seu revólver e eu saquei o meu ao avistarmos aquela criatura selvagem e monstruosa. Ele estava enrolado em uma espécie de casacão ou manta escura, que expunha apenas o seu rosto, mas esse rosto era o suficiente para tirar o sono de um homem. Eu nunca vira traços tão profundamente marcados pela bestialidade e de expressão tão cruel. Seus olhinhos reluziam com tom sinistro e os lábios grossos arreganhados deixavam à mostra dentes que rangiam para nós com fúria quase animalesca.

— Atire se ele levantar a mão — disse Holmes, calmamente.

Estávamos agora a uma embarcação de distância, e quase nos era possível tocar a nossa presa. Ainda os vejo como naquele instante, o branco de pernas bem arqueadas, praguejando, e o bárbaro anão de rosto monstruoso e dentes fortes, amarelos, que mostrava para nós sob a luz de nossa lanterna.

Felizmente, nós tínhamos uma visão bem nítida dele. Sob nossos olhos, ele puxou da manta um pedaço de madeira curto e arredondado, como uma régua escolar, e o levou aos lábios. Nossas pistolas dispararam juntas. Ele rodopiou, jogou os braços para o ar e, como uma espécie de tosse asfixiante, tombou de lado na correnteza. Vi, em um lampejo, os olhos malignos e ameaçadores em meio à espuma na água. No mesmo instante, o homem de perna de pau se jogou sobre o leme e girou-o inteiro, fazendo com que seu barco guinasse para a margem sul, enquanto passávamos a menos de um metro de sua popa. Rapidamente nós contornamos e partimos para cima dele, mas já estava próximo da costa. Era um lugar agreste e isolado, onde a lua brilhava sobre uma vasta extensão de mangues, com poços de água estagnada e trechos de vegetação deteriorada. A lancha, com um baque abafado, lançou-se na margem lamacenta, de proa no ar e popa no nível da água. O fugitivo saltou, mas a perna de pau afundou instantaneamente no solo encharcado. Ele relutou e se contorceu em vão. Não conseguia dar um passo sequer, nem para frente, nem para trás. Gritava de raiva, impotente, e chutava freneticamente a lama, com a outra perna. No entanto, seus esforços só serviram para afundar ainda mais sua perna de pau na ribanceira lodosa. Quando atracamos nossa lancha junto à deles, estava tão fincado que só conseguimos arrancá-lo e arrastá-lo depois de amarrarmos uma corda aos ombros. Os dois Smith, pai e filho, permaneceram na lancha, cabreiros, mas, a uma ordem nossa, entraram em nosso barco sem resistência. A própria *Aurora* foi arrastada e amarrada à nossa popa. Sobre o convés, havia uma robusta arca de ferro de fabricação indiana. Não havia dúvida de que era a mesmo que guardara o tesouro ominoso dos Sholto. Não havia chave, mas como era consideravelmente pesada, nós tratamos de transferi-la cuidadosamente para nossa pequena cabine. Quando voltamos a avançar lentamente rio acima, apontamos nosso holofote para todas as direções, mas não avistam nem sinal do ilhéu. Em algum lugar nos recônditos obscuros que forram o Tâmisa, jazem os ossos daquele estranho visitante à nossa costa.

— Olhe só — disse Holmes, apontando para a escotilha de madeira. — Não conseguimos ser rápidos o bastante com nossas pistolas.

De fato, bem ali, pouco atrás do ponto onde estávamos, estava cravado um daqueles dardos assassinos que conhecíamos tão bem. Deve ter passado zunindo entre nós no momento em que atiramos. Holmes sorriu diante daquilo e encolheu os ombros, com seu jeito despreocupado, mas confesso que me revirou o estômago pensar na morte horrenda que passara tão perto de nós naquela noite.

CAPÍTULO XI

O magnífico tesouro de Agra

Nosso prisioneiro sentou-se na cabine, diante da arca de ferro pela qual tanto fizera e que tanto esperou por ganhar. Era um camarada queimado de sol, de olhos inquietos. A teia de linhas e rugas cobrindo seus traços morenos traduzia uma vida árdua ao ar livre. Seu queixo barbado, bem projetado, caracterizava um homem que não desvia facilmente de seu propósito. Devia ter cerca de cinquenta anos, pois os cabelos pretos e cacheados já estavam bem salpicados de cinza. Seu rosto não tinha uma expressão desagradável, embora as sobrancelhas grossas e o queixo rude lhe dessem, como eu vira pouco antes, uma expressão terrível quando enfurecido. Agora estava sentado, de mãos algemadas no colo, a cabeça caída junto ao peito, enquanto mantinha os olhos vivos na arca que fora a causa de suas transgressões. Tive a impressão de que havia mais tristeza que ódio em sua fisionomia rígida e contida. Em certo momento, fitou-me com um lampejo de algo semelhante a humor nos olhos.

— Bem, Jonathan Small — disse Holmes, acendendo um charuto —, eu lamento que as coisas tenham terminado assim.

— Eu também lamento, senhor — disse ele com franqueza. — Não creio que possa ser enforcado por isso. Posso lhe jurar sobre a Bíblia que nunca levantei a mão contra o Sr. Sholto. Foi Tonga, o diabinho, que disparou um de seus malditos dardos contra ele. Fiquei triste como se fosse com um parente meu. Chicoteei o diabinho com a ponta da corda, mas o mal já estava feito e eu não tinha como desfazê-lo.

— Tome um charuto — disse Holmes. — E seria bom tomar um trago do meu frasco, pois está todo molhado. Como poderia esperar que um homem tão pequeno e fraco como esse negrinho dominasse o sr. Sholto e o segurasse enquanto você escalava a corda?

— O senhor parece saber tão bem o que sucedeu como se estivesse lá. A verdade é que eu esperava encontrar o cômodo vazio. Tinha bastante conhecimento a respeito dos hábitos da casa, e aquela era a hora em que o Sr. Sholto costumava descer para jantar. Não esconderei o que sucedeu. A melhor defesa que posso apresentar é dizer a verdade. Agora, se fosse o velho major, eu teria arriscado a forca e o assassinaria de coração leve. Esfaqueá-lo não teria sido esforço maior que fumar esse charuto. Mas é horrível ser preso por causa desse jovem Sholto, com quem jamais tive qualquer desavença.

— Você está sob os cuidados do Sr. Athelney Jones, da Scotland Yard. Ele vai acompanhá-lo até meu apartamento e eu lhe pedirei um relato fiel do ocorrido. Se confessar tudo, é possível que eu possa lhe ser útil. Creio que tenho meios de provar que o veneno age tão depressa que o homem já estava morto antes que você chegasse ao quarto.

— E estava mesmo, senhor. Nunca fiquei tão espantado como ao vê-lo sorrindo para mim, com aquela cabeça caída no ombro, quando entrei pela janela. Aquilo me abalou bastante, senhor. Quase matei o Tonga, mas ele conseguiu zarpar. Foi por isso que ele deixou seu porrete e alguns de seus dardos também, como me contou, que certamente ajudaram a pôr o senhor na nossa pista, embora eu não faça ideia de como conseguiu mantê-la. Não lhe quero mal por isso. Mas realmente parece uma coisa estranha — acrescentou ele, com um sorriso amargo — que eu, que tenho legítimo direito a meio milhão de libras, tenha passado metade de minha vida construindo um quebra-mar nas ilhas de Andamão, e provavelmente passarei a outra metade cavando esgotos em Dartmoor. Maldito o dia em que avistei pela primeira vez o mercador Achmet e me envolvi com o tesouro de Agra, que nunca levou a nada, a não ser desgraça para o homem que o detinha. Para ele, levou ao assassinato, para o major Sholto, medo e culpa, ao passo que, para mim, significou a escravidão eterna.

Nesse instante, Athelney Jones enfiou a cabeça e os ombros para dentro da pequena cabine.

— Uma festinha em família — comentou ele. — Acho que preciso de um gole desse frasco, Holmes. Bem, acho que podemos nos parabenizar. Pena que não tenhamos pegado o outro vivo, mas não havia escolha. Sabe, Holmes, você tem que admitir que foi por um triz. Mal conseguimos alcançá-los.

— Tudo fica bem quando acaba bem — disse Holmes. — Mas de fato eu não sabia que a *Aurora* era tão veloz.

— Smith diz que é uma das lanchas mais rápidas do rio e que, se tivesse contado com mais um homem para ajudá-lo com as máquinas, nós nunca a teríamos alcançado. Ele jura que não sabia de nada desse caso de Norwood.

— Não sabia mesmo! — exclamou nosso prisioneiro. — Nadinha. Escolhi a lancha dele porque ouvi dizer que era muito veloz. Não lhe contamos nada, mas pagamos bem e ele receberia uma bela recompensa se chegássemos ao nosso navio, o *Esmeralda*, em Gravesend, de onde partiríamos para o Brasil.

— Bem, se ele não fez nada de mal, temos que tomar providências para que nada de mal lhe aconteça. Somos muito rápidos em prender nossos homens, mas não tão rápidos em condená-los.

Era divertido ver como o pomposo Jones já demonstrava força na captura. A julgar pelo leve sorriso estampado no rosto de Sherlock Holmes, eu via que isso não havia lhe escapado.

— Logo estaremos em Vauxhall Bridge — disse Jones — e vamos desembarcá-lo, Dr. Watson, com a arca do tesouro. Nem preciso dizer aos senhores que estou assumindo uma responsabilidade imensa ao concordar com isso. É extremamente irregular, mas trato é trato, claro. No entanto, tenho o dever de enviar um inspetor para acompanhá-lo, já que leva uma carga tão valiosa. Irá de carro, sem dúvida?

— Sim, tomarei um carro.

— É uma pena que não tenhamos uma chave para podermos fazer primeiro um inventário. O senhor vai precisar arrombá-lo. Onde está a chave, Small?

— No fundo do rio — foi a resposta.

— Hum! Não havia necessidade de você nos dar mais esse trabalho. Já nos deu o bastante. Seja como for, doutor, nem preciso recomendar que tenha cuidado. Leve a arca de volta consigo para o apartamento de Baker Street. Lá nos encontrará, a caminho da delegacia.

Eles me deixaram em Vauxhall, com a pesada arca de ferro e com um bronco, porém amável inspetor como companheiro. Um trajeto de quinze minutos nos levou até a casa da Sra. Cecil Forrester. A criada pareceu surpresa com uma visita tão tardia. Explicou que a Sra. Cecil Forrester havia saído e provavelmente voltaria bem tarde. A Srta. Morstan, no entanto, estava na sala de estar. Assim, segui até lá, com a arca, deixando o inspetor no carro.

A Srta. Morstan estava sentada junto à janela, vestida com um tecido branco leve, com pequenos detalhes vermelhos no pescoço e na cintura. A luz suave do abajur caía sobre ela, recostada na cadeira de vime, bailando sobre seu rosto meigo e sério, lançando um colorido fosco nas ondas magníficas de seus cabelos. Um braço branco pendia da lateral da cadeira e toda sua postura e silhueta traduziam uma imensa melancolia. Ao som dos meus passos, ela se levantou sobressaltada, mas logo um vivo rubor de surpresa e alegria tomou seu rosto pálido.

— Ouvi o carro chegar — disse ela. — Pensei que a Sra. Forrester tivesse voltado cedo, mas nunca imaginei que pudesse ser você. Que notícias me traz?

— Trouxe algo melhor que notícias — respondi, colocando a arca na mesa e falando de forma impetuosa e jovial, embora o coração estivesse apertado no peito. — Trouxe-lhe algo que vale todas as notícias do mundo. Trouxe-lhe uma fortuna.

Ela lançou um olhar à arca de ferro.

— Esse é o tesouro, então? — perguntou ela em um tom gélido.

— Sim, é o magnífico tesouro de Agra. Metade dele é seu e metade é de Thaddeus Sholto. Vocês terão algumas centenas de milhares cada um. Imagine só! Uma renda anual de dez mil libras. Haverá poucas jovens senhoritas mais ricas na Inglaterra. Não é estupendo?

Creio que devo ter exagerado ao expressar minha satisfação, e que ela tenha identificado um tom falso em meus cumprimentos, pois vi suas sobrancelhas se arquearem ligeiramente e ela me fitou de forma curiosa.

— Se o tenho — disse ela — devo a você.

— Não, não — respondi. — Não a mim, mas ao meu amigo Sherlock Holmes. Nem com toda a vontade deste mundo eu teria sido capaz de seguir uma pista que desafiou até seu gênio analítico. E ainda assim, quase a perdemos no fim.

— Por favor, sente-se e conte-me tudo a respeito, Dr. Watson — pediu ela.

Discorri de forma sucinta sobre o que havia acontecido desde que eu a vira pela última vez. O novo método de investigação de Holmes, a descoberta de *Aurora*, o aparecimento de Athelney Jones, nossa expedição noturna e a perseguição desesperada pelo Tâmisa. Ela ouviu o relato de nossas aventuras de lábios entreabertos e olhos brilhantes. Quando mencionei o dardo que por um triz não nos atingira, ela ficou tão branca que tive receio de que fosse desmaiar.

— Não é nada — disse ela quando me apressei a lhe servir um pouco de água. — Já estou bem. Para mim, foi um choque ouvir o terrível perigo a que expus meus amigos.

— Já acabou — respondi. — Não foi nada. Não lhe contarei mais detalhes sinistros. Passemos a algo mais animador. Aqui está o tesouro. Que poderia ser mais animador que isso? Consegui permissão para trazê-lo comigo, pensando que teria interesse em ser a primeira a vê-lo.

— Seria realmente do meu maior interesse — disse ela, mas não havia nenhum pingo de ansiedade em sua voz. Ocorrera-lhe, sem dúvida, que talvez parecesse indelicado de sua parte demonstrar indiferença por um prêmio cuja conquista havia sido tão penosa.

— Que caixa linda! — disse, inclinando-se sobre ela. — É um trabalho indiano, não?

— Sim, é trabalho em metal Benares.

— E tão pesada! — exclamou ela, ao tentar erguê-la. — Só a arca já deve ter algum valor. Onde está a chave?

— Small atirou-a no Tâmisa — respondi. — Preciso pedir emprestado o atiçador de brasas da sra. Forrester.

Na frente, havia uma argola grossa e larga de cadeado, trabalhada na forma de uma imagem de um Buda sentado. Sob a argola, enfiei a ponta do atiçador e o torci para fora, como um pé de cabra. A argola se abriu com um estalo ruidoso. Com os dedos trêmulos, abri a tampa. Nós dois ficamos olhando, assombrados. A caixa estava vazia!

Não era de se espantar que fosse tão pesada. O ferro que a revestia tinha quase dois centímetros de espessura, em todo seu interior. Era maciça, bem-feita e sólida, como um baú construído para transportar coisas de grande valor, mas dentro dela não havia um único resquício de metal ou pedrarias. Estava absoluta e completamente vazia.

— O tesouro desapareceu — disse a Srta. Morstan, calmamente.

Quando ouvi essas palavras e compreendi seu significado, pareceu-me que uma grande sombra abandonava minha alma. Eu não sabia o quanto aquele tesouro de Agra pesara-me sobre os ombros até aquele momento em que a carga finalmente deixava de existir. Não havia dúvida de que era egoísta, desleal e errado, mas eu não podia pensar em nada senão que a barreira de ouro que se erguia entre nós havia desabado.

— Graças a Deus! — exclamei do fundo do coração.

Ela me olhou com um sorriso rápido e inquisitivo.

— Por que diz isso?

— Porque você está novamente ao meu alcance — respondi, tomando-lhe a mão. Ela não recuou. — Porque eu a amo, Mary, tão verdadeiramente quanto um homem já amou uma mulher. Porque esse tesouro e essas riquezas selavam meus lábios. Agora que desapareceram, eu posso lhe dizer como a amo. Foi por isso que eu disse "Graças a Deus".

— Então, eu também digo "Graças a Deus" — sussurrou ela quando a puxei para perto de mim.

Fosse quem fosse que perdera um tesouro, eu soube que naquela noite havia ganhado um.

CAPÍTULO XII

A estranha história de Jonathan Small

Muito paciente era o inspetor que me acompanhara no cabriolé, pois levei um bom tempo até regressar. Suas feições enevoaram quando lhe mostrei a arca vazia.

— E lá se vai minha recompensa! — disse ele, entristecido. — Onde não há dinheiro, não há pagamento. O trabalho dessa noite teria valido uma nota de dez libras para mim e outra para Sam Brown, se o tesouro estivesse aqui.

— O Sr. Thaddeus Sholto é um homem rico — disse eu. — Ele cuidará de recompensá-los, com ou sem tesouro.

Mas o inspetor meneou a cabeça, desanimado.

— Foi um serviço malfeito — repetiu ele — e é isso que o Sr. Athelney Jones vai achar.

Sua previsão provou-se correta, pois o detetive pareceu perplexo quando cheguei a Baker Street e lhe mostrei a caixa vazia. Eles tinham acabado de chegar, Holmes, o prisioneiro e ele, pois haviam mudado seus planos e se apresentado em uma delegacia policial no caminho. Meu companheiro estava esparramado em uma poltrona, com sua habitual expressão de indiferença, e Small sentado à sua frente, impassível, a perna de pau cruzada por cima da perna boa. Quando mostrei a arca vazia, ele se recostou na cadeira e deu uma gargalhada.

— Isso foi obra sua, Small — disse Athelney Jones, irritado.

— Sim, eu o escondi em um lugar onde jamais hão de pôr as mãos! — exclamou ele, exultante. — O tesouro é meu e se eu não puder ficar com a bolada, cuidarei bem para que ninguém mais fique. Eu lhe garanto que nenhum homem vivo tem qualquer direito sobre ele, a não ser três homens que estão no presídio de Andamão e eu mesmo. Sei agora que não posso usá-lo, e sei que eles também não. Tudo que fiz foi por eles, tanto quanto por mim mesmo. O que sempre valeu para nós foi o signo dos quatro. Pois bem, sei que eles iriam querer que eu fizesse exatamente o que fiz, e jogado o tesouro no Tâmisa, em vez de deixá-lo ir para amigos e parentes de Sholto ou Morstan. Não foi para enriquecê-los que demos cabo de Achmet. O senhor pode encontrar o tesouro no mesmo local onde está a chave e Tonga. Quando percebi que sua lancha ia nos alcançar, tratei de colocar a bolada em um lugar seguro. Não há rupias para o senhor nesta viagem.

— Está tentando nos enganar, Small — disse Athelney Jones em tom sério. — Se quisesse jogar o tesouro no Tâmisa, teria sido mais fácil atirá-lo com a arca e tudo.

— Para mim, mais fácil jogá-lo e mais fácil para os senhores o encontrarem — respondeu ele, olhando de canto de olho de forma astuciosa. — O homem que foi esperto o bastante para me caçar é esperto o bastante para tirar uma arca de ferro do fundo de um rio. Agora que as coisas estão espalhadas por uns oito quilômetros, talvez seja um trabalho mais difícil. Mas me doeu o coração fazer isso. Quase fiquei maluco quando nos descobriram. De todo modo, de nada adianta lamentar. Tive altos e baixos em minha vida, mas aprendi a não chorar pelo leite derramado.

— Esse é um assunto muito sério, Small — disse o detetive. — Se você tivesse ajudado a justiça, em vez de frustrá-la dessa forma, teria tido mais sorte em seu julgamento.

— Justiça! — rugiu o prisioneiro. — Bela justiça! De quem é essa bolada, se não é nosso? Que justiça é essa, que manda entregá-lo a quem nada fez para conquistá-lo? Ouçam como o conquistei! Passei vinte longos anos naquele charco infestado pela febre, trabalhando o dia todo no manguezal, passando a noite acorrentado nas choupanas imundas dos prisioneiros, picado por mosquitos, maltratado por todos os guardas negros que gostavam de desdenhar de um homem branco. Foi assim que consegui o tesouro de Agra e agora os senhores me falam de justiça só porque não suporto a ideia de que eu tenha passado por tudo isso para que outro o desfrute! Prefiro ser enforcado muitas vezes, ou ter um dos dardos de Tonga fincado no couro, a viver preso em uma cela sabendo que um homem está tranquilamente em um palácio com o dinheiro que deveria ser meu.

Small deixara cair sua máscara de estoicismo, e tudo isso saiu em uma torrente desenfreada de palavras, ao passo que seus olhos faiscavam e suas algemas tiniam ao roçar uma na outra, com o movimento fervoroso de suas mãos. Compreendi, ao ver a fúria e a paixão do homem, que não fora um terror infundado ou anormal que possuíra o major Sholto quando ficara sabendo que o prisioneiro ferido estava em seu encalço.

— Esquece que não sabemos nada a respeito de tudo isso — disse Holmes, calmamente. — Não ouvimos sua história e não podemos saber até que ponto a justiça pode ter estado inicialmente ao seu lado.

— Bem, senhor, tem sido muito gentil comigo, embora eu possa ver que não devo agradecer a outra pessoa por estar com estas pulseiras nos punhos. Mas não tenho nenhum ressentimento por isso. É tudo justo e claro. Se quiser ouvir minha história, não tenho desejo algum de escondê-la. O que lhe conto é a mais pura verdade, palavra por palavra. Obrigado, pode colocar o copo aqui ao meu lado e eu bebo, se tiver sede.

"Sou um homem de Worcestershire, nascido perto de Pershore. Tenho certeza de que encontrariam um monte de Small vivendo lá agora caso procurassem. Muitas vezes pensei em dar uma volta por lá, mas a verdade é que nunca fui motivo de muito orgulho para a família e duvido que ficariam muito satisfeitos em me ver. Eram pessoas equilibradas, frequentavam a igreja, pequenos fazendeiros conhecidos e respeitados na zona rural, enquanto eu era ligeiramente inclinado à vagabundagem. Mas por fim, quando eu tinha cerca de dezoito anos, parei de lhes dar preocupação, pois me envolvi em uma confusão por causa de uma moça e só pude escapar recebendo o xelim da rainha e ingressando nos Thrid Buffs, que estava de partida para a Índia.

"Mas eu não estava destinado a servir muito tempo como soldado. Mal aprendera a marchar com passo de ganso e manejar o mosquete, cometi a insanidade de ir nadar no Ganges. Para minha sorte, o sargento da minha companhia, John Holder, estava na água naquele momento, e era um dos melhores nadadores do exército. Um crocodilo me atacou quando eu estava no meio do rio e arrancou minha perna direita com a destreza de um cirurgião, logo acima do joelho. Com o choque e a perda de sangue, eu desmaiei e teria me afogado se Holder não tivesse me agarrado e levado até a margem. Passei cinco meses no hospital por conta disso e quando finalmente estava apto a sair, mancando, com este pedaço de pau preso ao meu coto, descobri que havia sido excluído do exército por invalidez e era considerado inapto para qualquer ocupação.

"Como podem imaginar, fiquei muito infeliz, à época, pois era um aleijado inútil, e ainda nem tinha chegado aos vinte anos de idade. Logo, porém, meu infortúnio provou-se uma bênção disfarçada. Um homem chamado Abel White, que aparecera por lá como plantador de índigo, queria um supervisor para tomar conta de seus cules e mantê-los trabalhando. Por acaso era amigo de nosso coronel, que havia se interessado por mim desde o acidente. Encurtando uma longa história, o coronel me recomendou insistentemente para o cargo, já que o trabalho devia ser feito mais a cavalo e minha perna não representava grande obstáculo, pois me sobrara coxa suficiente para me manter firme na sela. O que eu tinha que fazer era percorrer a plantação, ficar de olho nos homens, enquanto labutavam, e denunciar os que não faziam o serviço direito. O salário era justo, meu alojamento era confortável e, no geral, eu me contentaria em passar o resto da vida em plantações de índigo. O Sr. Abel White era um homem bondoso e muitas vezes aparecia na minha cabaninha para fumar um cachimbo comigo, pois por lá os brancos se afeiçoam uns aos outros, como nunca fazem aqui.

"Mas a sorte nunca me sorriu por muito tempo. De repente, sem mais nem menos, um grande motim irrompeu sobre nós. Em um mês, a Índia estava aparentemente tão tranquila e pacífica quanto Surrey ou Kent; no mês seguinte, havia duzentos mil demônios negros à solta e o país era um inferno absoluto. Claro que sabem sobre tudo isso, cavalheiros, muito mais que eu, provavelmente, já que não sou muito dado a leituras. Só sei o que vi com meus próprios olhos. Nossa plantação ficava em um lugar chamado Muttra, próximo à fronteira das Províncias Noroeste. Todas as noites o céu ficava iluminado pelo incêndio dos bangalôs, e, dia após dia, tínhamos pequenos grupos de europeus passando por nossa propriedade com suas mulheres e filhos, a caminho de Agra, onde estavam as tropas mais próximas. O Sr. Abel White era um homem teimoso. Havia se convencido de que a insurreição era exagerada e que se dissiparia com a mesma velocidade que surgira. Ficava sentado na varanda, tomando uísque com soda e fumando charutos, enquanto o país pegava fogo ao seu redor. Claro que ficamos ao seu lado, eu e Dawson, que, com sua mulher, cuidava da contabilidade e da administração. Bem, um belo dia, aconteceu o desastre. Eu tinha ido a uma plantação distante e lentamente voltava a cavalo para casa, ao entardecer, quando avistei um amontoado ao pé de um barranco íngreme. Cavalguei até lá para ver o que era e o sangue gelou em minhas veias quando descobri que era a mulher de Dawson, toda retalhada e semidevorada por chacais e cães nativos. Um pouco adiante, na estrada, o próprio Dawson, de bruços, morto, com um revólver descarregado na mão e quatro cipaios caídos uns sobre os outros, diante dele. Esporeei o cavalo, pensando que rumo seguir. Nesse instante, porém, vi rolos densos de fumaça subindo do bangalô de Abel White e as chamas começando a lamber o telhado. Eu sabia que nada podia fazer pelo meu patrão, e que perderia minha vida à toa se me metesse no assunto. De onde eu estava, dava para ver as centenas de demônios negros, com seus paletós vermelhos ainda nas costas, dançando e gritando em volta da casa em chamas. Alguns deles apontaram para mim e um par de balas passou zunindo rente à minha cabeça. Então, saí a galope pelos arrozais, e tarde da noite me vi em segurança dentro dos muros de Agra.

"Contudo, como veio a se provar, ali tampouco havia grande segurança. O país inteiro estava alvoroçado como um enxame de abelhas.

Onde conseguiam se reunir em pequenos bandos, os ingleses simplesmente tentavam defender o terreno que suas armas comandavam. Nos outros lugares, eram fugitivos indefesos. Era uma luta de milhões contra centenas; e a parte mais cruel disso era que esses homens contra os quais lutávamos, da infantaria, da cavalaria e da artilharia, eram nossos próprios soldados escolhidos, que havíamos ensinado e treinado, manejando nossas próprias armas e dando nossos próprios toques de corneta. Em Agra, encontravam-se o Terceiro Regimento de Fuzileiros de Bengala, alguns siques, duas companhias de cavalaria e uma bateria de artilharia. Um corpo voluntário de empregados administrativos e comerciantes havia se formado, e nele eu ingressei, de perna de pau e tudo. Fomos ao encontro dos rebeldes, em Shahgunge, no início de julho, e conseguimos os repelir por algum tempo, mas nossa pólvora acabou e tivemos que regressar à cidade.

"As piores notícias chegavam de toda parte, o que não era de se espantar, pois, olhando o mapa, é possível ver que estávamos bem no centro do motim. Lucknow fica a bem mais de cento e sessenta quilômetros a leste, e Cawpore mais ou menos à mesma distância, ao sul. De todos os pontos cardeais, não chegava nada senão tortura, assassinato e violência.

"Agra é uma cidade grande, fervilhando de fanáticos de toda espécie e de ferozes adoradores do diabo. Nosso punhado de homens estava perdido entre as ruas estreitas e tortuosas. Então, nosso comandante atravessou o rio e tomou posição no antigo forte de Agra. Não sei se algum de vocês, cavalheiros, já leu ou ouviu falar algo sobre esse velho forte. É um lugar bem esquisito... o mais estranho em que já estive, e já estive em locais bastante estranhos. Para começar, é enorme. Eu diria que o recinto abrange muitos e muitos acres. Há uma parte moderna, que abrigou toda nossa guarnição, mulheres, crianças, víveres, munições e tudo o mais, e ainda sobrou muito espaço. Mas a parte moderna não é nada comparada ao tamanho da antiga, aonde ninguém vai, e que está entregue aos escorpiões e lacraias. É repleta de salões imensos e desertos, passagens sinuosas e longos corredores que serpenteiam para cá e para lá, de modo que é muito fácil para uma pessoa perder-se ali. Por esse motivo, raramente alguém vai lá, embora, vez ou outra, um grupo munido de tochas fosse explorá-la.

"O rio passa em frente ao velho forte, provendo-lhe proteção, mas dos dois lados e atrás há muitas portas e estas precisam de vigia, claro, tanto na parte antiga quanto naquela efetivamente ocupada por nossas tropas. Não tínhamos tanta gente, mal havendo soldados suficientes para guarnecer os ângulos da construção e manejar os canhões. Para nós, portanto, era impossível estacionar um guarda forte a cada um dos inúmeros portões. Os que fizemos foi organizar uma casa da guarda central no meio do forte e deixar cada portão sob vigilância de um homem branco e dois ou três nativos. Fui designado para vigiar durante certas horas da noite uma portinha isolada que desembocava para o lado sudoeste da edificação. Dois soldados de cavalaria siques foram postos sob meu comando, e recebi ordens de disparar meu mosquete se algo de errado acontecesse, caso em que poderia estar certo de receber ajuda imediata da guarda central. No entanto, como a guarda ficava a mais de cento e cinquenta metros de distância, e como o espaço intermediário era recortado por um labirinto de passagens e corredores, eu duvidava muito que pudessem chegar a tempo de nos prestar auxílio caso houvesse de fato um ataque.

"Bem, eu já estava bastante orgulhoso por terem me concedido esse pequeno comando, já que era um recruta novato, e, ainda por cima aleijado de uma das pernas. Durante duas noites, eu montei guarda com meus panjabis. Eram uns camaradas altos, de ar feroz, chamados Mahomet Singh e Abdullah Khan, ambos velhos guerreiros que haviam empunhado armas contra nós em Chilian Wallah. Falavam bem inglês, mas eu não conseguia lhes arrancar muita coisa, porque preferiam ficar juntos e papear a noite toda em seu estranho dialeto sique. Quanto a mim, costumava ficar do lado de fora do portão, admirando o rio largo e sinuoso sob as luzes tremulantes da cidade grande. O rufar dos tambores, o alvoroço dos tantãs e os gritos e uivos dos rebeldes, inebriados de ópio e bangue, eram suficientes para nos lembrar, todas as noites, de nossos perigosos vizinhos do lado oposto do rio. De duas em duas horas, o oficial da noite costumava fazer a ronda pelos postos para se certificar de que tudo estava bem.

"Minha terceira noite de vigília foi escura e feia, com uma garoa insistente. Foi tedioso passar hora após hora junto ao portão com aquele tempo. Tentei puxar conversa com meus siques várias vezes, mas sem muito sucesso. Às duas da madrugada, a ronda passou quebrando o tédio noturno por um momento. Constatando que meus companheiros não queriam conversa, peguei meu cachimbo e pousei o mosquete para riscar o fósforo. Em um átimo, os dois siques saltaram sobre mim. Enquanto um deles atracou minha espingarda de pederneira e a apontou para minha cabeça, o outro me encostou um facão no pescoço e jurou, por entre os dentes, que me furaria se eu me movesse.

"Meu primeiro pensamento foi que aqueles sujeitos estavam de conluio com os rebeldes, e que aquilo era o início de um ataque. Se nossa porta caísse nas mãos dos cipaios, o forte seria invadido e as mulheres e crianças seriam tratadas como o foram em Kanpur. Talvez os senhores pensem que estou apenas tentando me defender, mas eu lhes dou minha palavra de que, ao pensar nisso, embora sentisse a ponta do facão no pescoço, abri a boca com a intenção de dar um grito, ainda que fosse o último, para poder alertar a guarda principal. O homem que me segurava pareceu ler meus pensamentos, pois, assim que tomei essa decisão, ele sussurrou: 'Não grite. O forte está seguro. Não há cães rebeldes deste lado do rio'. Havia um tom de verdade no que ele dizia, e constatei que se eu elevasse o tom de voz, seria um homem morto. Podia ler isso nos olhos castanhos do sujeito. Dessa forma, aguardei em silêncio para ver o que queriam de mim.

"'Ouça-me, *sahib*', disse o mais alto e mais feroz dos dois, aquele a quem chamavam de Abdullah Khan. 'Ou você fica do nosso lado ou o calaremos para sempre. A coisa é importante demais para hesitarmos. Ou fica de corpo e alma conosco, jurando sobre a cruz dos cristão, ou seu corpo será jogado no fosso esta noite, e nós passaremos para nossos irmãos do exército rebelde. Não há meio-termo. Então, o que vai escolher... a morte ou a vida? Só podemos lhe dar três minutos para decidir, porque o tempo está passando e tudo deve ser feito antes que a ronda volte.'

"'Como posso escolher?' perguntei. 'Não me disseram o que querem de mim. Mas fiquem sabendo que se for alguma coisa contra a segurança do forte, não quero participação nisso, portanto, podem tratar de cravar essa faca de uma vez.'

"'Não é nada contra o forte', disse ele. 'Só lhe pedimos que faça aquilo que seus compatriotas vêm fazer neste país. Que fique rico. Se você se juntar a nós esta noite, nós lhe juraremos sobre a faca nua e pelo tríplice juramento, que nunca se soube que um sique tenha quebrado, que terá seu quinhão da bolada. Um quarto do tesouro será seu. Nada pode ser mais justo.'

"'Mas que tesouro é esse?' perguntei. 'Estou tão disposto a ficar rico quanto vocês, se quiserem, mas mostrem-me como isso pode ser feito.'

"'Jure, então', disse ele 'pelos ossos de seu pai, pela honra de sua mãe, pela cruz de sua fé, que não levantará a mão, nem dirá uma palavra contra nós, nem agora, nem depois?'

"'Juro', respondi, 'contanto que o forte não corra perigo.'

"'Nesse caso, meu camarada e eu juramos que você terá um quarto do tesouro, que será dividido igualmente entre nós quatro.'

"'Mas somos só três', contestei.

"'Não, Dost Akbar deve ter sua parte. Podemos contar a história a você enquanto os esperamos. Fique no portão, Mahomet Singh, e avise-nos quando chegarem. A coisa está no seguinte pé, *sahib*, e eu lhe conto isto porque sei que um juramento é sagrado para um *feringhee*, e que podemos confiar em você. Se fosse um hindu mentiroso, mesmo que tivesse jurado por todos os deuses de seus templos falsos, seu sangue já estaria nesta faca e seu corpo, na água. Mas o sique conhece o inglês e o inglês conhece o sique. Ouça bem, portanto, o que tenho a dizer.

"'Há um rajá nas províncias do norte que possui uma imensa fortuna, embora suas terras sejam pequenas. Muito ele herdou do pai, e mais ainda, ele acumulou por si mesmo, porque tem uma natureza mesquinha e guarda seu ouro em vez de gastá-lo. Quando o motim estourou, ele quis ser amigo tanto do leão, quanto do tigre... dos cipaios e do domínio da Companhia. Não tardou, no entanto, para que o dia dos homens brancos chegara, pois em todo o país não se ouvia falar de outra coisa, senão de sua morte e deposição. Contudo, sendo um homem cauteloso, fez planos tais que, acontecesse o que acontecesse, preservaria pelo menos metade de seu tesouro. O que estava em ouro e prata ele guardou a seu alcance, nos cofres do palácio, mas guardou em uma arca de ferro as pedras mais preciosas e as pérolas mais raras que possuía, e entregou-a a um criado de confiança que, disfarçado de mercador, deveria levá-la para o forte de Agra, onde permaneceria até que o país estivesse em paz. Desse modo, se os rebeldes vencessem, ele teria conservado seu dinheiro. Porém, se a Companhia saísse vitoriosa, suas joias estariam a salvo. Tendo assim dividido sua fortuna, lançou-se na causa dos cipaios, pois eles estavam fortes em suas fronteiras. Ao proceder dessa forma, note bem, *sahib*, seus bens passam a pertencer por direito àqueles que se mantiveram leais à sua causa.

"'Esse falso mercador, que viajava sob o nome de Achmet, está agora na cidade de Agra e deseja chegar ao forte. Tem como companheiro de viagem meu irmão de criação, Dost Akbar, que conhece o seu segredo. Dost Akbar prometeu conduzi-lo esta noite a uma porta lateral do forte, e escolheu a que guardamos para seu propósito. Chegará dentro em pouco e aqui encontrará Mahomet Singh e a mim à sua espera. O lugar é isolado e ninguém o verá chegando. O mundo não saberá mais nada sobre o mercador Achmet, mas o grande tesouro do rajá será dividido entre nós. O que me diz, *sahib*?'

"Em Worcestershire, a vida de um homem parece algo precioso e sagrado, mas tudo é diferente quando se está cercado de fogo e sangue e nos acostumamos a encontrar a morte a todo instante. Que Achmet, o mercador, vivesse ou morresse pouco me importava, mas ao ouvir falar do tesouro entusiasmei-me e pensei no que poderia fazer na velha pátria com ele, e como minha gente ficaria espantada ao ver este vadio voltar com os bolsos cheios de *moidores* de ouro. Eu já havia, portanto, me decidido. Abdullah Khan, porém, pensando que eu hesitava, continuou insistindo.

"'Pense, *sahib*', disse ele, 'que se esse homem for pego pelo comandante, ele será enforcado ou fuzilado, e suas joias tomadas pelo governo, de forma que ninguém ganhará uma rupia. Agora, se nós tratarmos de capturá-lo, por que não deveríamos fazer o resto também? As joias ficarão tão bem conosco quanto nos cofres da Companhia. Haverá o bastante para fazer de cada um de nós homens ricos e grandes chefes. Ninguém terá conhecimento de nada, pois aqui estamos nós, isolados de todos. O que poderia ser melhor para nosso objetivo? Diga então novamente, *sahib*, se está conosco, ou se devemos vê-lo como um inimigo.'

"'Eu estou de corpo e alma com vocês', disse eu.

"'Muito bem', respondeu ele, devolvendo-me meu mosquete. 'Veja que confiamos em você, porque sua palavra, como a nossa, não pode ser quebrada. Agora só nos resta esperar pelo meu irmão e o mercador.'

"'Então seu irmão sabe o que vão fazer?', perguntei.

"'O plano foi concebido por ele. Vamos para o portão montar guarda com Mahomet Singh.'

"A chuva não dera trégua, pois estávamos no início da estação chuvosa. Nuvens escuras e carregadas forravam o céu e era difícil enxergar alguns metros adiante. Havia um fosso profundo diante de nossa porta, mas a água estava quase seca em alguns pontos, permitindo que ele fosse transposto com facilidade. Para mim, era estranho estar ali com aqueles dois ferozes panjabis, esperando um homem que viria a morrer.

"De repente, avistei o lampejo de uma lanterna velada do outro lado do fosso. Sumiu entre os montes de terra e depois reapareceu, vindo lentamente em nossa direção.

"'Aí estão eles!', exclamei.

"'Trate de interrogá-lo, *sahib*, como de costume', sussurrou Abdullah. 'Não lhe dê motivos para temer. Mande-nos entrar com ele e faremos o resto, enquanto você continua aqui de guarda. Fique a postos com a lanterna, para podermos ter certeza de que é de fato o homem.'

"A luz continuou a tremular, ora parando, ora avançando, até que consegui distinguir dois vultos escuros do outro lado do fosso. Deixei-os escorregar pela ribanceira, passar pela lama e subir metade do caminho até a porta antes de interrogá-los.

"'Quem vem chegando?' perguntei em tom baixo.

"'Amigos', foi a resposta. Saquei minha lanterna e lancei um facho de luz sobre eles. O primeiro era um sique enorme, com uma barba preta que quase alcançava sua cintura. Eu nunca vira um homem tão alto, a não ser em espetáculos. O outro era um sujeito baixote, gordo, redondo, com um grande turbante amarelo e uma trouxa na mão, feita com um xale. Parecia apavorado, pois suas mãos tremiam como se sofresse da febre do sezão, e virava a cabeça para a esquerda e direita, com dois olhinhos vivos piscantes, como um camundongo que se aventurava fora de sua toca. A ideia de matá-lo me dava calafrios, mas pensei no tesouro e senti meu coração endurecer no peito. Quando viu meu rosto branco, ele soltou um gritinho de alegria e correu em minha direção.

"'Sua proteção, *sahib*', disse com a voz ofegante, 'sua proteção para o pobre mercador Achmet. Atravessei toda a Rajputana para vir buscar abrigo no forte de Agra. Fui roubado, espancado e insultado por ser amigo da Companhia. Que seja abençoada esta noite em que me encontro novamente em segurança... eu e minhas posses.'

"'O que carrega nessa trouxa?', perguntei.

"'Uma arca de ferro', ele respondeu, 'que contém um ou dois pequenos objetos de família sem valor algum, mas que eu lamentaria muito perder. Não sou nenhum mendigo, porém. Eu lhe darei uma recompensa, *sahib*, e também ao seu comandante, se me der o abrigo que peço.'

"Não me arrisquei a falar mais tempo com o homem. Quanto mais olhava para seu rosto gordo e assustado, mais cruel parecia que fôssemos matá-lo a sangue frio. Era melhor acabar logo com aquilo.

"'Levem-no à guarda principal', disse eu. Os dois siques se aproximaram dele, um de cada lado e, com o gigante seguindo atrás, adentraram o portão escuro. Nunca um homem foi tão envolto pela morte. Permaneci no portão com minha lanterna.

"Eu podia ouvir o som ritmado dos passos pelos corredores desertos. De repente, o barulho cessou e ouvi vozes, um tumulto, com o som dos golpes. Logo depois, para meu horror, uma correria que seguia em minha direção e a respiração ofegante de um homem a correr. Virei minha lanterna para o corredor longo e reto, e lá estava o gorducho, rápido como um raio, com o rosto manchado de sangue, e, logo atrás dele, saltando como um tigre, o imenso sique barbudo, com uma faca reluzente na mão. Jamais vi um homem correr tão depressa quanto o pequeno mercador. Estava levando a dianteira do sique, e vi que se conseguisse passar por mim e chegar ao descampado ainda poderia se salvar. Senti pena dele, mas a lembrança do tesouro voltou a me deixar cruel. Conforme ele passou correndo, lancei meu mosquete entre suas pernas e ele rolou duas vezes no chão, como um coelho ferido. Antes que conseguisse se equilibrar de pé, o sique estava em cima dele e cravou-lhe a faca duas vezes na lateral. O homem não soltou um gemido, nem moveu um músculo, só se manteve inerte onde caiu. Tenho para mim que pode ter quebrado o pescoço na queda. Como estão vendo, cavalheiros, estou cumprindo a minha promessa. Conto-lhes cada palavra caso, exatamente como ocorreu, quer me favoreça ou não."

Ele parou e estendeu as mãos algemadas até o uísque com água que Holmes havia lhe preparado. Quanto a mim, confesso que a essa altura sentia um pavor absoluto pelo homem, não apenas por essa aventura sanguinária em que participara, mas ainda mais pela maneira tão indiferente como a narrara. Independentemente da punição que o aguardasse, senti que ele não podia esperar qualquer compaixão de minha parte. Sherlock Holmes e Jones permaneciam sentados, com as mãos nos joelhos, profundamente interessados na história, mas com a mesma aversão estampada em seus rostos. Talvez ele o tivesse notado, pois havia um ar desafiador em sua voz e em seus modos quando voltou a falar.

— Tudo aquilo era horrível, sem dúvida — disse ele.

— Mas gostaria de saber quantos sujeitos em meu lugar teriam recusado sua partilha nessa bolada, sob a ameaça de ter seu pescoço cortado como recompensa. Além disso, levando em conta que ele estava no forte, era minha vida ou a dele. Se ele tivesse escapado, todo o caso teria sido descoberto e eu seria submetido à corte marcial e muito provavelmente fuzilado, já que as pessoas não eram muito tolerantes em um momento como aquele.

— Prossiga com sua história — disse Holmes, sucinto.

— Bem, nós o carregamos para dentro, Abdullah, Akbar e eu. Aliás, ele era bem pesado, apesar de ser tão baixo. Mahomet Singh ficou vigiando a porta. Levamos o corpo para um lugar em que os siques já haviam preparado. Era um ponto afastado, onde uma passagem sinuosa levava a um grande salão desocupado, cujas paredes de tijolo estavam ruindo. O chão de terra havia afundado em um ponto, fazendo um túmulo natural, e foi ali que deixamos o mercador Achmet, depois de cobri-lo com tijolos soltos. Então, voltamos todos ao tesouro.

"Estava onde havia caído quando o homem fora atacado pela primeira vez. A arca era a mesma que agora está aberta sobre sua mesa. Havia uma chave pendurada em um cordão de seda àquela alça entalhada na tampa. Quando a abrimos, a luz da lanterna brilhou sobre uma coleção de gemas como aquelas sobre as quais eu lera e pensara, quando era um garotinho, em Pershore. Era uma visão ofuscante. Depois de banquetear nossos olhos, tiramos todas elas e fizemos uma lista. Havia cento e quarenta e três diamantes de primeira grandeza, inclusive aquele apelidado, se não me engano, "O Grande Magnata", e considerado a segunda maior pedra que existe. Também havia noventa e sete belíssimas esmeraldas e centro e setenta rubis, embora alguns fossem pequenos. Havia quarenta carbúnculos, duzentas e dez safiras, sessenta e uma ágatas e grande quantidade de berilos, ônix, olhos de gato, turquesas e outras pedras, cujos nomes, à época, eu sequer conhecesse, embora tenha me familiarizado com elas desde então. Além disso, havia quase trezentas belíssimas pérolas, doze das quais estavam encrustadas em um diadema de ouro. Por sinal, estas últimas haviam sido retiradas da arca e não estavam lá quando o recuperei.

"Depois de contabilizar nossas preciosidades, nós as colocamos de volta na arca e levamos até o portão para mostrar a Mahomet Singh. Em seguida, renovamos solenemente o juramento de lealdade uns aos outros e prometemos guardar nosso segredo. Concordamos em esconder nossa bolada em um local seguro até que a paz voltasse ao país e depois dividi-la igualmente entre nós. De nada adiantaria dividi-la naquele momento porque, se gemas daquele valor fossem encontradas conosco, despertaríamos desconfianças e no forte não havia nenhuma privacidade, ou lugar algum onde pudéssemos guardá-las. Assim, levamos a caixa para o mesmo salão onde havíamos enterrado o corpo e ali, sob certos tijolos da parede mais preservada, fizemos um buraco e pusemos nosso tesouro. Gravamos bem o local e, no dia seguinte, eu desenhei quatro plantas, uma para cada um de nós, e pus ao pé delas o signo dos quatro, pois havíamos jurado agir cada um de nós sempre pelos quatro, de modo que nenhum pudesse se aproveitar. Posso afirmar, com a mão no peito, que esse é um juramento que nunca violei.

"Bem, é desnecessário que eu conte a vocês, cavalheiros, qual foi o desfecho do motim indiano. Depois que Wilson tomou Délhi e Sir Colin substituiu Lucknow, a espinha dorsal da revolta estava quebrada. Novas tropas chegaram maciçamente e o próprio Nana Sahib desapareceu além da fronteira. Sob o comando do coronel Greathed, um destacamento aéreo avançou até Agra e expulsou os *pandies* de lá. A paz parecia estar se estabelecendo no país, e nós quatro começávamos a ter esperança de que se aproximava o momento em que poderíamos partir em segurança com nossa parte do tesouro. Porém, para nossa desgraça, de uma hora para outra, nós fomos presos como assassinos de Achmet.

"Aconteceu da seguinte maneira. Ao colocar suas preciosidades nas mãos de Achmet, o rajá o fez porque sabia que ele era confiável. Mas aquela gente do leste é desconfiada. Portanto, que fez esse rajá, senão chamar um segundo criado, ainda mais confiável, e incumbi-lo de espionar o primeiro? Esse segundo homem recebeu ordens para jamais perder Achmet de vista e o seguiu como uma sombra. Naquela noite, foi atrás dele e viu-o entrar pelo portal. Pensou, é claro, que ele havia se refugiado no forte e, no dia seguinte, também pediu para ser admitido lá, mas não encontrou nenhum sinal de Achmet. Isso lhe pareceu tão estranho que comentou sobre isso com um sargento dos Guias, e este levou o caso ao comandante. Imediatamente foi realizada uma busca completa no forte e o corpo foi descoberto. Assim, exatamente quando pensávamos que tudo estava certo, nós quatro fomos presos e levados a julgamento sob acusação de assassinato; três de nós, por termos vigiado o portão, e o quarto por ter sido visto na companhia do homem assassinado. Nenhuma palavra sobre as joias surgiu no julgamento, pois, como o rajá fora deposto e expulso da Índia, ninguém tinha interesse particular nelas. Contudo, o assassinato foi claramente desvendado e não havia dúvidas de que estivéramos todos envolvidos. Os três siques receberam pena perpétua de trabalhos forçados e eu fui condenado à morte, embora mais tarde minha sentença tenha sido transformada na mesma imposta aos outros.

"A posição em que nos encontramos, então, era bastante estranha. Lá estávamos os quatro, acorrentados pela perna e com muito pouca chance de escapar, ao passo que cada um de nós guardava um segredo que poderia nos levar para um palácio, se pudéssemos desfrutar dele. Era de desesperar um homem ter que suportar os chutes e bofetadas de cada insolente insignificante, ter que passar a arroz e água, quando aquela magnífica fortuna estava à sua espera lá fora, apenas esperando para ser apanhada. Isso poderia ter me enlouquecido, mas, como sempre fui muito obstinado, resisti e esperei o momento propício.

"Finalmente pareceu-me que o momento chegara. Fui transferido de Agra para Madras, e de lá para Blair, nas ilhas Andamão. Há muito poucos sentenciados brancos nessa colônia e, como me comportei bem desde o início, logo me vi na condição de uma espécie de privilegiado. Deram-me uma cabana em Hope Town, que é um lugarejo nas encostas do monte Harriet, e fui deixado por minha conta. Era um lugar triste, assolado pela febre, e a mata acima de nossas pequenas clareiras era toda infestada de canibais nativos, sempre prontos para soprar um dardo envenenado sobre nós, se tivessem chance. Tínhamos que escavar, abrir valas e fazer mais uma dúzia de tarefas, de modo que ficamos bastante ocupados o dia todo. No entanto, ao cair da noite tínhamos algum tempo para nós. Entre outras coisas, aprendi a aviar medicamentos para o cirurgião, e adquiri um pouco de seu conhecimento. Eu ficava o tempo todo à espreita de uma oportunidade para fugir, mas a ilha fica a centenas de quilômetros de qualquer outra e há pouco ou nenhum vento naqueles mares. Sendo assim, escapar seria uma tarefa das mais difíceis.

"O cirurgião, Sr. Somerton, era um rapaz amistoso e alegre, e o os outros jovens oficiais costumavam se reunir à noite em seus aposentos para um carteado. A sala de cirurgia, onde eu costumava manipular meus remédios, ficava ao lado de sua sala de estar, com uma janelinha entre nós. Muitas vezes, quando sentia-me muito solitário, eu apagava a luz da sala de cirurgia e ficava ali, ouvindo as conversas deles e observando o jogo. Eu mesmo sou chegado em um carteado e assisti-los jogando era quase tão bom quanto jogar. Costumavam aparecer por lá o major Sholto, o capitão Morstan e o tenente Bromley Brown, que estavam no comando das tropas nativas, e lá se encontrava sempre o próprio cirurgião e dois ou três funcionários do presídio, homens experientes e sagazes que jogavam com muita tarimba e segurança. Formavam um grupinho bem entrosado.

"Bem, havia mais uma coisa que logo me deixou impressionado, e era que os soldados sempre perdiam e os civis ganhavam. Olhem, não estou dizendo que houvesse algo desleal, mas acontecia assim. Aqueles camaradas do presídio pouco tinham feito na vida além de jogar cartas, desde que haviam chegado às ilhas Andamão, e conheciam perfeitamente o jogo uns dos outros, enquanto outros jogavam apenas como passatempo e baixavam as cartas de qualquer maneira. Noite após noite, os soldados empobreciam e, quanto mais pobres ficavam, mais avidez eles tinham por jogar. O major Sholto era a maior vítima. De início, ele costumava pagar em notas e ouro, mas logo passou a usar notas promissórias e de grandes somas. Às vezes ganhava algumas partidas, apenas o suficiente para se animar, depois a sorte virava contra ele e ficava pior do que nunca. Ele passava o dia perambulando desnorteado, de cara fechada, e passou a beber mais do que lhe convinha.

"Uma noite, ele perdeu ainda mais que o habitual. Eu estava em minha cabana, quando ele e o capitão Morstan se aproximaram, cambaleantes, a caminho de seus aposentos. Eram muito amigos, aqueles dois, e estavam sempre juntos. O major vociferava sobre suas perdas.

"'Está tudo acabado, Morstan', dizia ele, quando passaram por minha cabana. 'Terei que me reformar. Sou um homem arruinado.'

"'Não diga tolices, meu velho!', disse o outro, dando-lhe um tapinha no ombro. 'Eu também sofri um prejuízo enorme, no entanto...' Só consegui ouvir isso, mas foi o suficiente para me fazer pensar.

"Alguns dias depois, eu vi o major Sholto passeando na praia e aproveitei a oportunidade para falar-lhe.

"'Gostaria de lhe pedir um conselho, major', disse eu.

"'Bem, Small, do que se trata?' perguntou ele, tirando o charuto da boca.

"'Queria lhe perguntar, senhor', respondi, 'quem é a pessoa mais indicada a receber um tesouro. Sei onde está um que vale meio milhão, e, como eu mesmo não posso desfrutá-lo, pensei que talvez o melhor a fazer seja entregá-lo às autoridades e assim talvez reduzissem a minha pena.'

"'Meio milhão, Small?' perguntou ele, com a voz falhada, fitando-me fixamente para ver se eu estava falando sério.

"'Isso mesmo, senhor... em gemas e pérolas. Ele está lá, a postos para qualquer um. E o mais incrível é que o verdadeiro dono está banido e não pode ter bens, então o tesouro pertence a quem chegar primeiro.'

"'Ao governo, Small', gaguejou ele, 'ao governo.' Mas disse isso de forma muito hesitante e, em meu coração, eu soube que o fisgara.

"'Acha, então, senhor, que eu deveria dar a informação ao governador-geral?' perguntei tranquilamente.

"'Bem, não faça nada precipitado, ou de que possa vir a arrepender-se. Conte-me tudo a respeito, Small. Diga-me os fatos.'

"Narrei-lhe a história toda, com ligeiras alterações, para que não identificasse os lugares. Quando terminei, ele estava imóvel e pensativo. A julgar pelos espasmos em seus lábios, vi que relutava intimamente.

"'Esse é um assunto muito importante, Small', disse ele por fim. 'Não deve contar uma palavra disso a ninguém, e quero vê-lo novamente em breve.'

"Duas noites depois, ele e seu amigo, o capitão Morstan, vieram à minha cabana, já tarde da noite, com uma lanterna.

"'Quero apenas que o capitão Morstan escute aquela história dos seus próprios lábios, Small', disse ele.

"Repeti conforme lhe contara.

"'Soa verdadeiro, não é?' perguntou ele. 'Será convincente o bastante para entrarmos em ação?'

"O capitão Morstan assentiu.

"'Preste atenção, Small', disse o major. 'Estivemos conversando sobre isso, meu amigo aqui e eu, e chegamos à conclusão de que esse assunto, no fim das contas, está longe de ser dá conta do governo. Trata-se de um assunto de seu interesse pessoal, em que, é claro, você tem o direito de decidir o que achar melhor. Agora, a questão é: que preço você pediria por ele? Nós talvez estivéssemos propensos a assumi-lo, ao menos examiná-lo, se concordássemos com as condições.' Ele falava em um tom indiferente, mas seus olhos cintilavam de ansiedade e cobiça.

"'Ora, quanto a isso, cavalheiros', respondi, tentando também parecer tranquilo, mas tão agitado quanto ele, 'só há um acordo que um homem em minha condição possa fazer. Quero que me ajudem com minha libertação e que ajudem meus três companheiros da mesma forma. Dessa forma, nós incluiremos os senhores na parceria e lhes daremos uma parcela de um quinto para que dividam entre si.'

"'Hum!' – fez ele. 'Um quinto! Isso não é muito tentador.'

"'Corresponderia a cinquenta mil para cada um,' respondi.

"'Mas como faremos para libertá-los? Sabe muito bem que nos pede algo impossível.'

"'Nada disso', retruquei. 'Já pensei em tudo, até o último detalhe. O único empecilho para nossa fuga é não conseguirmos um barco apropriado para a viagem, nem provisões para um tempo tão longo. Em Calcutá, ou Madras, há muitos pequenos iates e barquinhos que nos serviriam muito bem. Tragam um para cá. Podemos nos comprometer de embarcar à noite, e se nos deixarem em qualquer lugar da costa indiana, já terão cumprido sua parte da barganha.'

"'Se fosse só um', disse ele.

"'Nenhum ou todos', respondi. 'Juramos isso. Nós quatro devemos agir sempre juntos.'

"'Como vê, Morstan', disse ele , 'Small é um homem de palavra. Não quer se livrar dos amigos. Acho que podemos confiar nele.'

"'É um negócio sujo', respondeu o outro. 'No entanto, como você diz, o dinheiro vai salvar nossos postos.'

"'Bem, Small', disse o major, 'creio que podemos tentar atendê-lo. Mas primeiro, é claro, temos que constatar a veracidade de sua história. Diga-me onde está escondida a caixa e pedirei uma licença para ir à Índia, no barco mensal de rendição e investigar o assunto.'

"'Vamos com calma', disse eu, agindo mais friamente à medida que ele se empolgava. 'Preciso do consentimento dos meus três camaradas. Como lhes disse, conosco são os quatro, ou nenhum.'

"'Bobagem!' exclamou ele. 'O que têm esses pretos a ver com nosso acordo?'

"'Pretos ou azuis', disse eu, 'estão no negócio comigo e fazemos tudo juntos.'

"Bem, a questão terminou em um segundo encontro, em que estavam presentes Mahomet Singh, Abdullah Khan e Dost Akbar. Discutimos o assunto novamente até que, enfim, chegamos a um acordo. Deveríamos fornecer aos dois oficiais mapas da parte do forte de Agra e indicar o local da parede onde o tesouro estava escondido. O major Sholto iria à Índia para verificar a história. Se encontrasse a arca, deveria deixá-la no lugar, enviar um pequeno iate com provisões para uma viagem, que deveria estar nas cercanias da ilha de Rutland, para onde seguiríamos, e finalmente retomar seu serviço. O capitão Morstan pediria então uma licença para ir ao nosso encontro em Agra, e lá deveríamos realizar a divisão final do tesouro, ele levando a parte do major, assim com a sua própria. Esse acordo foi selado com os mais solenes juramentos que a mente pode conceber e os lábios podem pronunciar. Passei a noite em claro com papel e tinta, e, pela manhã, terminara os dois mapas, assinados com o signo dos quatro, isto é, de Abdullah, Akbar, Mahomet e eu.

"Bem, cavalheiros, não quero cansá-los com minha longa história e sei que meu amigo, o Sr. Jones, está impaciente para me ver seguro atrás das grades. Serei o mais sucinto possível. O canalha do Sholto partiu para a Índia, mas nunca mais voltou. Pouco tempo depois, o capitão Morstan mostrou-me o nome dele na lista de passageiros de um dos barcos-correio. Um tio seu morrera, deixando-lhe uma fortuna, e ele abandonara o exército. Apesar disso, foi capaz da temeridade de tratar cinco homens como nos tratou. Pouco tempo depois, Morstan foi a Agra e constatou, como já esperávamos, que o tesouro realmente havia desaparecido. O canalha o roubara, sem cumprir uma só das condições sob as quais lhe havíamos revelado o segredo. Desde então, eu vivo apenas para me vingar. Pensava nisso durante o dia todo e acolhia a ideia durante a noite. Para mim, aquilo havia se tornado uma paixão esmagadora, absorvente. Não dava a mínima importância à lei... a mínima importância à forca. Fugir, encontrar a pista de Sholto, botar a mão em seu pescoço... esse era meu único pensamento. Em minha mente, até o tesouro de Agra tornou-se menor que a morte de Sholto.

"Bem, tomei muitas decisões na vida e não deixei de cumprir nenhuma. Mas passei anos enfadonhos antes que meu momento chegasse. Contei-lhes que havia aprendido alguma coisa na medicina. Um dia, quando o Dr. Somerton estava febril, de cama, um pequeno ilhéu andamanês foi recolhido na mata por uma turma de prisioneiros. Estava agonizando e tinha ido para um lugar solitário para morrer. Decidi cuidar dele, embora fosse peçonhento como uma cobra, e, passados cerca de dois meses, deixei-o em bom estado e capaz de andar. Ele passou a ter uma espécie de afeição por mim, e resistia a regressar à sua mata, permanecendo sempre a rondar minha cabana. Aprendi com ele um pouco de seu dialeto, o que o fez afeiçoar-se ainda mais por mim.

"Tonga era o seu nome, e ele era um excelente barqueiro, dono de uma canoa grande e espaçosa. Quando descobri que me era devotado e faria qualquer coisa para me servir, vi minha chance de escapar. Conversei sobre o assunto com ele. Certa noite, ele deveria levar seu barco a um antigo cais que nunca era vigiado, onde me pegaria. Expliquei-lhe para colocar no barco várias cabaças de água e grandes quantidades de inhames, cocos e batatas-doces.

"O pequeno Tonga era fiel e verdadeiro. Nunca um homem teve um companheiro mais leal. Na noite combinada, ele chegou ao cais com seu barco. No entanto, casualmente, um homem da guarda dos prisioneiros estava lá, um *pathan* cruel que nunca perdera uma chance de me insultar e ferir. Eu sempre jurava vingança e agora tinha minha oportunidade. Era como se o destino o tivesse posto em meu caminho para que eu pudesse cobrar minha dívida antes de deixar a ilha. Ele estava na beirada da água, de costas para mim, com a carabina no ombro. Procurei uma pedra para lhe esmagar a cabeça, mas não vi nenhuma.

"Então, um estranho pensamento me ocorreu e indicou-me como poderia recorrer a uma arma. Sentei-me no escuro e desprendi minha perna de pau. Com três largos pulos, eu estava em cima dele. Ele tentou pegar a carabina, mas eu o acertei em cheio e afundei toda a parte frontal de seu crânio. Podem ver agora a rachadura na madeira, no lugar eu o atingi. Nós dois caímos ao mesmo tempo, porque não consegui manter o equilíbrio, mas, quando me levantei, ele continuava deitado, bem quieto. Fui para o barco e decorrida uma hora já estávamos bem afastados mar adentro. Tonga havia levado consigo todos os seus bens terrenos, suas armas, seus deuses. Entre outras coisas, havia uma longa lança de bambu e umas esteiras de fibra de coco, com as quais fiz uma espécie de vela. Navegamos sem rumo por dez dias, confiando na sorte, e, no décimo primeiro, fomos recolhidos por um navio mercante que ia de Cingapura para Jiddah, com um punhado de peregrinos malaios. Eles formavam uma aglomeração bizarra e eu e Tonga logo conseguimos nos entrosar em meio a eles. Tinham uma excelente qualidade: deixavam-nos em paz e não faziam perguntas.

"Bem, se eu fosse lhes contar todas as aventuras vividas por meu amiguinho e eu, os senhores não seriam gratos, pois ficaríamos aqui até o amanhecer. Perambulamos por aqui e ali mundo afora, e alguma coisa sempre acabava nos impedindo de chegar a Londres. Durante o tempo todo, no entanto, jamais perdi meu objetivo de vista. Sonhava com Sholto à noite. Matei-o cem vezes em meu sono. Finalmente, porém, três ou quatro anos atrás, nós nos vimos na Inglaterra. Não tive grande dificuldade em descobrir onde Sholto morava, e entrei em ação para apurar se havia convertido o tesouro em dinheiro, ou se ainda o guardava. Fiz amizade com alguém que pôde me ajudar, não citarei nomes, porque não desejo comprometer mais ninguém, e logo descobri que as joias ainda estavam em posse dele. Então, tentei alcançá-lo de inúmeras maneiras, mas era muito esperto e sempre andava com dois pugilistas, além dos filhos e de seu *khitmutgar*, para protegê-lo.

"Um dia, porém, eu soube que ele estava morrendo. Corri imediatamente para o jardim, enlouquecido por constatar que ele me escaparia e, olhando pela janela, pude vê-lo na cama, com um filho de cada lado. Eu teria entrado e arriscado a sorte com os três, mas no mesmo instante em que olhei para ele, seu queixo tombou e eu vi que havia partido. Naquela mesma noite, eu entrei em seu quarto e vasculhei seus papéis para ver se havia algum registro de onde escondera as nossas joias. Mas não havia nada, de modo que fui embora, tão amargurado e furioso quanto um homem pode ficar. No entanto, antes de sair, pensei que se algum dia encontrasse de novo os meus amigos siques seria para eles uma satisfação saber que eu tinha deixado alguma marca de nosso ódio. Dessa forma, rabisquei o nosso signo dos quatro, como o fizera nos mapas, e o espetei em seu peito. Não conseguia suportar que ele fosse levado ao túmulo sem qualquer lembrança dos homens a quem roubara e enganara.

"Nessa época, nós ganhávamos a vida exibindo o pobre Tonga em feiras e outros lugares do gênero como um canibal negro. Ele comia carne crua e dançava sua dança de guerra. Dessa forma, ao fim do dia, nós sempre tínhamos um chapéu repleto de moedas. Continuei tendo notícias de Pondicherry Lodge e, durante alguns anos, não houve nenhuma novidade, exceto que estavam à procura do tesouro. Finalmente, porém, chegou o momento que havíamos esperado por tanto tempo. O tesouro havia sido encontrado. Estava no topo da casa, no laboratório químico do Sr. Bartholomew Sholto. Imediatamente fui até lá e dei uma olhada no lugar, mas não consegui assimilar como, com minha perna de pau, eu poderia subir até lá. Soube, contudo, da existência de um alçapão no teto, e também da hora em que o Sr. Sholto jantava. Tive a impressão de que conseguiria providenciar a coisa com facilidade se empregasse Tonga. Levei-o comigo, com uma corda comprida amarrada à cintura. Ele tinha habilidade de felino para escalar e logo chegou ao telhado, mas, para meu azar e sua infelicidade, Bartholomew Sholto ainda estava no quarto. Tonga pensou que havia feito algo ótimo matando-o, pois quando subi pela corda, encontrei-o orgulhoso feito um pavão. Ficou muito surpreso quando investi contra ele, com a ponta da corda, e o praguejei como um diabinho sanguinário. Peguei a arca do tesouro e a desci com a corda, e em seguida eu próprio desci, tendo primeiro deixado o signo dos quatro sobre a mesa para mostrar que as joias haviam finalmente voltado àqueles que tinham direito a elas. Depois Tonga puxou a corda, fechou a janela e saiu sorrateiramente, da forma como havia entrado.

"Acho que não resta mais nada a lhes contar. Como eu ouvira um barqueiro comentar sobre a rapidez da lancha de Smith, a *Aurora*, achei que ela seria uma ótima opção para nossa fuga. Contratei o velho

Smith e deveria lhe dar uma gorda quantia se ele nos levasse em segurança até nosso navio. Ele sabia, sem dúvida, que havia algo errado na história, mas ignorava nossos segredos. Essa é toda a verdade, e não conto para entretê-los, cavalheiros, pois me armaram uma bela armadilha, mas porque creio que minha melhor defesa é não esconder nada, e deixar que todos saibam o quanto eu mesmo penei nas mãos do major Sholto, e como sou inocente da morte de seu filho."

— Um relato notável — disse Sherlock Holmes. — Um desfecho apropriado para um caso extremamente interessante. Não há nada de novo para mim, na última parte de sua narrativa, exceto que você levou sua própria corda. Isso eu não sabia. A propósito, tinha a esperança de que Tonga tivesse perdido todos os seus dardos, mas ele conseguiu lançar um em nós na lancha.

— Ele havia perdido todos eles, senhor, exceto o que estava em sua zarabatana naquele momento.

— Ah, é claro — disse Holmes. — Não tinha pensado nisso.

— Há algum outro ponto sobre o qual gostaria de perguntar? — indagou o prisioneiro de modo afável.

— Creio que não, obrigado — respondeu meu companheiro.

— Bem, Holmes — disse Athelney Jones —, você é um homem a quem devemos ser gratos e todos sabemos que é um *connaisseur* do crime. Mas dever é dever e eu já fui bem longe fazendo o que você e seu amigo me pediram. Vou me sentir melhor quando tivermos nosso contador de histórias seguro atrás das grades. O cabriolé permanece à espera e há dois inspetores lá embaixo. Estou muito grato a vocês dois, por sua ajuda. Claro que haverá necessidade dos senhores no julgamento. Boa noite aos dois.

— Boa noite, cavalheiros — disse Jonathan Small.

— Você primeiro, Small — disse o cauteloso Jones quando saíram da sala. — Tomarei grande cuidado para que você não me atinja com sua perna de pau, seja o que for que tenha feito com o cavalheiro nas ilhas Andamão.

— Bem, este é o fim do nosso pequeno drama — comentei, depois que havíamos passado algum tempo fumando em silêncio. — Receio que talvez seja a minha última investigação em que eu tenha a chance de estudar seus métodos. A Srta. Morstan me fez a honra de me aceitar como seu futuro marido.

Ele soltou um gemido extremamente melancólico.

— Eu temia isso — disse ele. — Realmente não consigo parabenizá-lo.

Senti-me ligeiramente magoado.

— Tem alguma razão para estar insatisfeito com a minha escolha? — perguntei.

— Em absoluto. Acho que ela é uma das jovens mais encantadoras que já conheci e poderia ter sido extremamente útil em um trabalho como o que temos feito. Tem um talento incontestável para esse campo. Veja a maneira como manteve aquele mapa de Agra, encontrado no meio de toda a papelada de seu pai. Mas o amor é algo emocional e tudo que é emocional é contrário àquela razão fria e verdadeira que ponho acima de todas as coisas. Eu nunca me casaria de modo que meu discernimento jamais seria distorcido.

— Tenho certeza — disse eu, rindo — que meu discernimento pode sobreviver à provação. Mas você parece exausto.

— Sim, já estou sentindo a reação. Vou passar uma semana sem energia feito um trapo.

— Estranho — disse eu — como os períodos que em outro homem eu chamaria de preguiça, você alterna com acessos de esplêndida energia e vigor.

— Sim — respondeu ele —, existe em mim a essência de um grande vadio, assim como a de um sujeito bem vigoroso. Muitas vezes, eu penso naqueles versos do velho Goethe...

Schade, dass die Natur nur
einen Mensch aus Dir schuf,
Denn zum würdigen Mann war
und zum Schelmen der Stoff.[6]

---

6. Em tradução livre: "É uma pena que a natureza tenha feito de você uma pessoa só; havia material suficiente para um homem de bem e um patife".

— A propósito, quanto a esse caso de Norwood, você viu que eles tinham, como eu supus, um aliado na casa, que não podia ser outro senão Lal Rao, o mordomo. Então, realmente cabe a Jones todo o mérito por ter apanhado um peixe em seu arrastão.

— A divisão parece injusta — observei. — Você fez todo o trabalho neste caso. Eu arranjei uma esposa com ele e Jones abocanhou o mérito. Conte-me, o que sobrou para você?

— Para mim — disse Sherlock Holmes —, ainda resta o frasco de cocaína.

E estendeu a mão branca e comprida para pegá-lo.

editorapandorga.com.br
/editorapandorga
@pandorgaeditora
@editorapandorga